La alimentación que cuida tu memoria

Si deseas estar informado de nuestras novedades,
te animamos a que te apuntes a nuestros boletines
a través de nuestro mail o web:

www.amateditorial.com
info@amateditorial.com

Recuerda que también puedes encontrarnos
en las redes sociales.

@amateditorial
facebook.com/amateditorial

Judi y Shari Zucker

La alimentación que cuida tu memoria

Consejos y recetas para cuidar
tu memoria y agilidad mental

Amat
editorial

La edición original de esta obra ha sido publicada en lengua inglesa por New Page Books
con el título original de *The Memory diet*, de Judi y Shari Zucker.

© Judi y Shari Zucker, 2017
© Profit Editorial I., S.L., 2017
Amat Editorial es un sello editorial de Profit Editorial I., S.L.
Travessera de Gràcia, 18; 6º 2ª; Barcelona 08021

Diseño cubierta: XicArt
Maquetación: gama

ISBN: 978-84-9735-900-9
Depósito legal: B-8.961-2017
Primera edición: mayo, 2017

Impreso por: Liberdúplex

Impreso en España – Printed in Spain

Queremos dedicar este libro a nuestra madre, que padece demencia. Ella nos inspiró a escribir este libro para que pudiéramos ayudar a quienes padecen pérdida de memoria y a quienes desean prevenirla. Hemos aprendido a no subestimar nunca el valor de un recuerdo. ¡Te queremos, mamá!

Damos las gracias a nuestra familia y a nuestros amigos por su apoyo y su cariño. Queremos dar las gracias a nuestras editoras, Lauren Manoy, Jodi Brandon y Gina Schenck por sus habilidades organizativas y atención al detalle. Por su aportación a este proyecto, queremos dar las gracias a todos los de Career Press/New Page Books. Nuestro agradecimiento especial a Adam Schwartz, Michael Pye y Laurie Nelly-Pye, por su apoyo y sus útiles sugerencias.

Gracias, Jill Marsal, nuestra agente literaria, por tus consejos y buen hacer profesional.

Nos alegramos de ser gemelas y compartir nuestra pasión por educar a otros sobre los beneficios de un estilo de vida saludable. ¡Es genial ser socias, es un proyecto tan divertido!

Índice

Prólogo

El constante aumento de la población de personas ancianas nos ha hecho comprender la gravedad que representa el deterioro de la memoria. Tiempo atrás, aceptábamos la pérdida de memoria de los ancianos como algo inevitable. Sin embargo, pese a que el envejecimiento tiene cierto impacto en nuestra capacidad de recordar, la ciencia ha demostrado que es posible tratar con éxito muchos tipos de deterioro cognitivo y pérdida de memoria, contrarrestarlos e incluso prevenir su aparición.

Unas medidas tan sencillas como comer correctamente, dormir las horas suficientes, reducir el estrés, no fumar, minimizar la ingesta de alcohol, tomar suplementos nutricionales, hacer ejercicio y mantener el cerebro activo pueden contribuir a prevenir la demencia. ¿Por qué este énfasis en la alimentación? Sencillamente, la dieta norteamericana estándar contiene una gran cantidad de alimentos procesados, azúcares, carbohidratos simples y grasas trans responsables de muchos problemas graves de salud, entre ellos la merma de agudeza mental, el aumento de peso, las enfermedades cardíacas, la inflamación crónica y los desequilibrios hormonales.

Por consiguiente, una de las cosas más importantes que puedes hacer es consumir una dieta saludable y equilibrada, la cual puede tener un profundo efecto sobre tu función cognitiva y tu memoria. Judi y Shari están convencidas de que existe una relación entre un buen estado de salud y unos hábitos dietéticos nutritivos. En este libro nos ofrecen una valiosa colección de recetas que se centran en alimentos beneficiosos para el cerebro y la salud en términos generales.

Basándose en los últimos estudios sobre la salud cerebral, Judi y Shari comparten con nosotros unas apetitosas recetas centradas en una dieta basada en alimentos vegetales pobres en azúcares y grasas «malas» pero ricos en sabor. Han creado unos platos deliciosos y fáciles de preparar basados en frutas, hortalizas, legumbres, cereales integrales y frutos secos. Está demostrado que estos alimentos contribuyen también a prevenir las enfermedades cardiovasculares estimulando la circulación sanguínea, lo que contribuye a proteger la función cerebral. Asimismo, las frutas y hortalizas ricas en antioxidantes contribuyen a proteger tu cerebro y otras células contra la oxidación, al igual que el hierro se oxida cuando es expuesto a la humedad. Muchos alimentos vegetales como aguacates y frutos secos contienen las grasas saludables necesarias para formar membranas celulares sanas, especialmente en el cerebro, que se compone casi en un 70 por ciento de grasa.

Sigue leyendo para averiguar cómo, a través de esta dieta, puedes gozar de una esperanza de vida más larga y saludable, consiguiendo que tus facultades mentales sigan funcionando de manera óptima durante muchos años.

HYLA CASS, doctora en medicina,
autora de *8 Weeks to Vibrant Health*
www.cassmd.com

Introducción

Hacía un espléndido día de diciembre en Los Ángeles y en nuestra familia era tradición acercarnos caminando hasta el Beverly Hills Hotel para contemplar las decoraciones navideñas. Nuestra madre tenía crédito en una tienda en el hotel y esperamos a que fuera en busca del comprobante. Nos miró angustiada y dijo que no lograba encontrarlo. Nosotras nos reímos y dijimos: «Ya lo encontrarás». Pero ella parecía asustada y contestó con tono serio: «Temo haber olvidado dónde dejé el comprobante. ¡Estoy muy asustada!». En ese momento no nos percatamos de que nuestra madre había experimentado varios episodios de pérdida de memoria. Había empezado a olvidar muchas cosas y estaba aterrorizada. Concertamos una cita con un neurólogo, que le hizo varias pruebas. Los resultados mostraron que padecía demencia, en concreto demencia semántica, una variante de la enfermedad de Alzheimer. El doctor nos explicó que el tipo de demencia de nuestra madre no era genético sino inducido por el medio ambiente. Conociendo como conocíamos a nuestra madre, su demencia podía estar causada por muchos factores, como su uso prolongado de somníferos, alcohol, azúcar o alimentos procesados, o las múltiples intervenciones quirúrgicas que le habían practicado con anestesia. Aunque el doctor nos dijo que no podíamos curar su demencia, cuando menos merecía la pena tratar de frenarla y hacer lo que pudiéramos para preservar su memoria. Tanto si es a un miembro de tu familia o a ti a quien diagnostican un trastorno de la memoria, la noticia te afecta profundamente. Pero hay esperanza, y con unos simples cambios en tu estilo de vida puedes minimizar las probabilidades de padecer un trastorno de memoria y conservar la que tienes. En este libro, compartimos lo que hemos aprendido sobre mantener la salud cerebral, y compartimos contigo nuestras apetitosas recetas favoritas encaminadas a estimular el cerebro.

Según la Organización Mundial de la Salud hay más de 47 millones de personas que viven con demencia y se calcula que en 2030 esa cifra alcanzará los 75,6 millones. Cada cuatro segundos es diagnosticado un nuevo caso de demencia. Por desgracia, nuestra madre es una de las numerosas personas que viven con demencia. Cuando averiguamos que nuestra madre había sido diagnosticada con demencia nos llevamos un disgusto tremendo. Decidimos hacer lo que pudiéramos para ayudarla. Leímos numerosos estudios sobre la salud cerebral, y hemos conseguido frenar la pérdida de memoria de nuestra madre. Nos hemos comprometido a ayudar a otras personas a comprender el deterioro cognitivo, y cómo prevenirlo y enfrentarse a él. A través de nuestro trabajo de investigación hemos creado unas apetitosas recetas, con las que todo el mundo puede disfrutar, destinadas a estimular el cerebro. Ofrecemos una información actual y valiosa basada en estudios científicos sobre la pérdida de memoria, ¡así como deliciosas recetas para mantener el cerebro saludable!

La dieta MIND, cuyas siglas en inglés significan Intervención Mediterránea para Retrasar las Enfermedades Neurodegenerativas, es el resultado de un estudio llevado a cabo en el Centro Médico de la Universidad Rush y constituye un híbrido de la dieta mediterránea y la dieta DASH (Enfoques Dietéticos para Frenar la Hipertensión). Según el Estudio de la Dieta MIND, este plan de comidas puede reducir el riesgo de desarrollar la enfermedad de Alzheimer en un 53 por ciento. La dieta que proponemos se centra en las recomendaciones de una alimentación basada en productos vegetales de la dieta MIND. Estos alimentos basados en vegetales consisten principalmente en verduras de hoja verde, hortalizas, frutos secos, bayas, judías, cereales integrales y aceite de oliva. La dieta MIND incluye pescado y pollo una vez a la semana. Sin embargo, los nutrientes que ayudan al cerebro que contienen el pescado y el pollo se encuentran también en las fuentes vegetales que proponemos en esta dieta. Por ejemplo, el DHA y los omega-3 que contiene el pescado se encuentra en la linaza, las semillas de chía, las nueces y las algas marinas que son más aconsejables para el cuerpo puesto que no contienen mercurio, el cual suele hallarse con frecuencia en el pescado.

La dieta MIND recomienda evitar los siguientes alimentos: carnes rojas, mantequilla, queso, repostería y fritos. Los investigadores constataron que incluso las personas que no siguieron la dieta al pie de la letra pero «moderadamente bien», redujeron aproximadamente en un tercio el riesgo de contraer la enfermedad de Alzheimer. Asimismo, el equipo que realizó el estudio, publicado en la revista *Alzheimer´s & Dementia*, examinaron a más de 900 personas de edades comprendidas entre los 58 y los 98 años, las cuales rellenaron un cuestionario sobre la comida y se sometieron a reiteradas pruebas neurológicas. El estudio demostró que los participantes que seguían de cerca las recomendaciones de la dieta MIND presentaban un nivel de función cognitiva equivalente a una persona 7,5 años más joven.

Una dieta basada en alimentos vegetales que incluye verduras de hoja verde, hortalizas, bayas, frutos secos, judías y cereales integrales retrasa y previene el deterioro cognitivo. En este libro te ofrecemos más de 150 apetitosas recetas basadas en productos vegetales que no contienen azúcar blanco refinado, alimentos procesados ni gluten. No se utilizan azúcares refinados porque los estudios de investigación han demostrado que la resistencia a la insulina, básicamente una «intolerancia al azúcar», es la causa fundamental de muchas de nuestras enfermedades modernas, como enfermedades neurológicas como la enfermedad de Alzheimer y numerosas formas de cáncer, además de problemas obvios como la diabetes. Las recetas que contiene este libro alimentan el cerebro y el cuerpo. Además, estas recetas son muy ricas. Al fin y al cabo, los alimentos más nutritivos no resultan beneficiosos si nadie los consume. Así

pues, comprobarás que los platos que presentamos en este libro
—sopas y ensaladas, smoothies y snacks, además de entrantes,
guarniciones y postres— son apetitosos y saciantes.

Es importante consumir alimentos que favorecen el cerebro, y no
menos importante consumir alimentos cocinados de forma co-
rrecta para minimizar la pérdida de memoria. En las recetas pro-
puestas en este libro, los platos que requieren cocción son cocinados a fuego lento. Esto es indispensable para que los alimentos
resulten más saludables para el cerebro. Abordamos también el
tema de los AGE (productos finales de glicación avanzada). Los
AGE presentes en la dieta constituyen unos compuestos patóge-
nos que han sido relacionados con la inducción y evolución de
muchas enfermedades crónicas, inclusive la enfermedad de Alzheimer.

Los AGE confirman las observaciones de que una temperatura elevada y una baja humedad pueden producir la formación de AGE
en los alimentos, mientras que unos tiempos de cocción relativamente breves, una temperatura reducida, una elevada humedad
y/o una exposición previa a un entorno acidificado (utilizando limón o vinagre al cocinar) constituyen unas eficaces estrategias a la
hora de limitar la formación de AGE en los alimentos. Los efectos potencialmente negativos de los métodos tradicionales de cocinar y el procesado de alimentos han permanecido fuera del ámbi-
to de las consideraciones saludables. No obstante, la acumulación
de AGE debida al calentamiento y procesado sistemático de alimentos ofrece una nueva explicación sobre los efectos perniciosos
sobre la salud. La dieta se centra en métodos de cocción que reducen el riesgo de generar AGE, como preparar los alimentos al vapor, guisarlos o hervirlos. Los alimentos derivados de animales con
un alto contenido en grasas y proteínas, como la carne y las aves,
suelen contener una elevada cantidad de AGE y generar la formación de nuevos AGE durante la cocción. Por el contrario, los alimentos ricos en carbohidratos como las hortalizas, las frutas y los
cereales integrales contienen escasa cantidad de AGE, incluso después de cocinados. La aminoguanidina, un compuesto químico
inhibidor de los AGE, impide su formación, y estos se reducen de
forma significativa si cocinamos los alimentos con calor húmedo,

utilizando tiempos de cocción más cortos y a temperaturas más bajas (120 °C o menos), así como por el uso de ingredientes acídicos como el limón o el vinagre de manzana de sidra.

Un estudio llevado a cabo por la Escuela Icahn de Medicina en el Hospital Monte Sinaí demostró que una dieta de alto contenido en glicotoxinas (AGE), las cuales se encuentran en una elevada concentración en carnes muy hechas, es un factor de riesgo en el desarrollo de la demencia relacionada con la vejez. El estudio, titulado «Las glicotoxinas orales son una causa modificable de demencia y el síndrome metabólico en ratones y humanos», fue publicado en el *Journal Proceedings of the National Academy of Science (PNAS)*; el *Alzheimer´s News Today* se hizo eco del estudio llevado a cabo.

En dicho estudio, unos ratones que consumían una dieta con un alto contenido en glicotoxinas denominadas productos finales de glicación avanzada (AGE) presentaban más probabilidades de desarrollar síntomas análogos a la demencia. Asimismo, sus cerebros presentaban unos niveles más elevados de la proteína beta-amiloide, la base de la «placa cerebral» en los pacientes de Alzheimer.

El equipo de investigadores analizó los AGE contenidos en muestras de sangre de 93 individuos de más de 60 años durante un período de nueve meses. Los datos sobre la función cognitiva y hábitos alimentarios de los participantes, en particular de alimentos con un alto contenido en glicotoxinas, fueron analizados. La sensibilidad a la insulina de cada participante también fue analizada, dado que constituye un importante biomarcador de síndromes metabólicos, incluyendo la obesidad y la diabetes. Al igual que los resultados obtenidos con los ratones, los participantes con unos niveles más elevados de AGE en sangre experimentaban un mayor deterioro cognitivo y una reducción en la sensibilidad a la insulina, indicando que el consumo regular de AGE en alimentos demasiado cocinados puede conducir a la diabetes y la obesidad. El equipo concluyó que los AGE derivados de los alimentos son un factor de riesgo modificable tanto del síndrome metabólico como de la enfermedad de Alzheimer, y sugirieron que una dieta baja en AGE puede constituir una eficaz estrategia terapéutica para ambos trastornos.

La dieta que proponemos presenta unos alimentos recomendados en la dieta MIND, ofrece más de 150 recetas saludables basadas en alimentos vegetales e incluye un plan de comidas de siete días. Propone unos platos beneficiosos para el cerebro que tienen en cuenta los AGE y sugiere unos métodos seguros de preparar los alimentos que generan menos AGE en el organismo. Los platos que requieren ser cocinados no se fríen ni se «doran», sino que se preparan al vapor o se guisan a una temperatura no superior a 120 °C.

En este libro compartimos lo que es y no es una pérdida de memoria normal, y explicamos que las opciones que elegimos con respecto a nuestra forma de vida pueden incidir de modo decisivo en la salud de nuestro cerebro. Compartimos cómo abastecer una cocina con criterio y ofrecemos unas opciones saludables de comidas que incluyen alimentos ecológicos, libres de OGM (organismos genéticamente modificados), y suplementos para la salud cognitiva.

1

Acerca de tu memoria: mantener la salud de la memoria

Debido al aumento de casos de demencia, es fácil angustiarte cuando te olvidas de algo. Sin embargo, la pérdida de memoria no constituye una parte inevitable del proceso de envejecer y conviene distinguir entre lo que es normal en lo tocante a la pérdida de memoria y cuándo deberías preocuparte. La mayoría de nosotros hemos experimentado episodios en que olvidamos dónde dejamos nuestras llaves o el teléfono móvil, u olvidamos el nombre de un conocido. Los olvidos normales son más frecuentes en adultos de edad madura. Algunos ejemplos de olvidos normales es no recordar el nombre de un actor en una película que acabas de ver, o estar en tu cocina y quedarte en blanco sobre lo que ibas a anotar en tu lista de la compra. En la mayoría de los casos, basta con que esperemos unos minutos para que recordemos la información. Los lapsos de memoria pueden ser frustrantes, pero la mayoría de las veces no son motivo de preocupación. A medida que envejecemos experimentamos unos cambios fisiológicos que pueden provocar fallos en la forma en que funciona nuestro cerebro. Puede llevarnos más tiempo del habitual asimilar y recodar un dato. El hecho de que nos lleve más tiempo hacer algo no equivale a una pérdida de memoria grave.

«Demencia» es un término general que describe un deterioro de la capacidad mental lo bastante severo como para entorpecer

17

nuestra vida cotidiana. La pérdida de memoria es un ejemplo de demencia. La demencia no es una enfermedad específica, puesto que describe un amplio abanico de síntomas asociados a la pérdida de memoria. Existen muchas formas de demencia, entre ellas la demencia vascular y la demencia mixta. La enfermedad de Alzheimer es el tipo de demencia más común. La demencia puede afectar profundamente a las personas que la padecen, así como a sus familiares y cuidadores. Si tú o uno de tus seres queridos experimentáis síntomas de un problema de pérdida de memoria más serio, conviene que os vea un médico para buscar la raíz de la causa.

La pérdida de memoria no significa automáticamente que padeces demencia. Hay muchas razones que explican que experimentes problemas de memoria, entre las que cabe destacar: el estrés, la depresión, la pérdida de oído o visión, problemas tiroideos, una propensión genética, haber sufrido alguna lesión en la cabeza, un accidente cerebrovascular, el consumo de drogas o deficiencias vitamínicas. Aunque no presentes los síntomas comunes de demencia, siempre conviene tomar medidas para impedir que un problema sin importancia se convierta en un problema serio.

Es cierto que conforme envejecemos, el organismo se deteriora y puede producirse una falta o pérdida de memoria normal. La edad es uno de los factores que puede aumentar las probabilidades de que contraigas la enfermedad de Alzheimer dado que la mayoría de los casos ocurren pasados los 65 años. La diferencia principal entre una pérdida de memoria relacionada con la edad y la demencia es que la pérdida de memoria relacionada con la edad tiene escaso impacto en tu día a día y en tu capacidad de hacer lo que quieres hacer. Sin embargo, la demencia muestra un persistente deterioro en dos o más facultades intelectuales, como la memoria, el lenguaje, el discernimiento y el pensamiento abstracto. Una grave pérdida de memoria trastorna tu trabajo, tus hobbies, tus actividades sociales y tus relaciones familiares.

Por fortuna, el cerebro es capaz de producir nuevas células cerebrales a cualquier edad y la pérdida de memoria no tiene por qué ocurrir. Es importante mantener el cerebro en óptimo estado. Las opciones que eliges con respecto a tu estilo de vida, tus hábitos respecto a tu salud y tus actividades diarias tienen un enorme impacto en la salud de tu cerebro. La buena noticia es que por regla general muchas facultades mentales no se ven afectadas por el proceso normal de envejecer, como tu capacidad de hacer cosas que siempre has hecho y sigues haciendo, la sabiduría y los conocimientos que has adquirido a través de tus experiencias vitales, tu sentido común innato y tu capacidad de razonar. Tomar decisiones inteligentes con respecto a tu estilo de vida puede reducir y posiblemente impedir que contraigas muchas enfermedades, inclusive la demencia.

Mantener la salud de la memoria

Durante muchos años muchos de nosotros teníamos el convencimiento de que no podíamos hacer nada para evitar contraer la enfermedad de Alzheimer o la demencia, y que la pérdida de memoria formaba parte de la evolución natural de envejecer. Creíamos que lo único que podíamos hacer era confiar en que no nos tocara a nosotros y esperar a que se descubriera un remedio. Los fármacos utilizados para combatir la enfermedad de Alzheimer no han demostrado muchos beneficios, lo que realza la importancia de la prevención durante toda tu vida. Los estudios han demostrado que las decisiones que tomamos con respecto a nuestro estilo de vida, como comer de forma adecuada, hacer ejercicio, permanecer mental y socialmente activos, controlar el estrés, dormir lo suficiente y tomar ciertos suplementos pueden reducir el riesgo de padecer pérdida de memoria. Llevando una vida sana para tu cerebro puedes prevenir los síntomas de la enfermedad de Alzheimer y retrasar o incluso detener el proceso de deterioro.

En este capítulo abordaremos el impacto que tienen las opciones que elegimos con respecto a nuestro estilo de vida y cómo pueden prevenir la demencia. También abordaremos las opciones que debemos elegir con respecto a nuestro estilo de vida para reducir las probabilidades de padecer demencia.

El ejercicio

El ejercicio es fundamental a la hora de prevenir la demencia. Según la Fundación para la Investigación y Prevención de la Enfermedad de Alzheimer, el ejercicio físico reduce el riesgo de que contraigas esta enfermedad en un 50 por ciento. Gretchen Reynolds, autora de numerosos artículos sobre salud y ciencia en el *New York Times*, escribió: «El ejercicio puede estimular el pensamiento más que el pensamiento».

Las personas que realizan un ejercicio vigoroso de forma regular suelen permanecer mentalmente ágiles a los 70 y 80 años. El ejercicio es beneficioso para los pulmones, y las personas que conservan la memoria y la agilidad mental a una edad avanzada suelen gozar de una buena función pulmonar. El ejercicio ayuda a reducir el riesgo de diabetes, colesterol elevado, hipertensión y padecer un accidente cerebrovascular. Todas estas enfermedades provocan pérdida de memoria. Lo que es más importante: unos trabajos de investigación con animales han demostrado que el ejercicio aumenta el nivel de neurotropinas, unas sustancias en el organismo que alimentan las células cerebrales y contribuyen a protegerlas contra los daños causados por un accidente cerebrovascular y otras lesiones. El ejercicio puede propiciar un cambio en la forma en que la proteína precursora amiloide en el cerebro es metabolizada, frenando la aparición y evolución de la enfermedad de Alzheimer. Asimismo, incrementa los niveles de una proteína beneficiosa para el cerebro denominada PGC-1 alpha, coactivador del receptor gamma activado del proliferador de peroxisomas. Las personas que padecen la enfermedad de Alzheimer presentan menos PGC-1 alpha en sus cerebros, y las células que contienen una mayor cantidad de esta proteína producen menos cantidad de la proteína tóxica amiloide asociada a la enfermedad de Alzheimer.

El ejercicio no tiene que ser extremo, pero debe ser regular. Los Centros de Control de Enfermedades (CDC) y el Colegio Norteamericano de Medicina Deportiva (ACSM) recomiendan que los adultos realicen aproximadamente dos horas y media (150 minutos) de una actividad aeróbica de intensidad moderada a la semana. Una actividad aeróbica de intensidad moderada está definida como un movimiento que aumenta el ritmo de tu corazón y te hace sudar. Un sistema sencillo de comprobar si tu nivel de ejercicio es moderado es que puedas hablar mientras lo realizas, pero no cantar.

Estas son algunas formas de realizar un ejercicio diario:

- Cuando puedas, camina en lugar de conducir o desplazarte en transporte público.

- Utiliza las escaleras en lugar de tomar el ascensor.

- Haz ejercicio en casa; si es posible con un vídeo de ejercicios.

- Planta un huerto o jardín.

- Apúntate a una clase de ejercicios o a un gimnasio.

- Si tienes acceso a una piscina, un lago o una playa, nada de forma regular.

- Aprende un deporte que requiere un esfuerzo físico moderado, como el tenis.

- Baila mientras escuchas música.

- Jugar al ping-pong, llamado también tenis de mesa, mejora la atención y concentración. Unos investigadores japoneses han constatado también que en jugadores de más de 50 años, el ping-pong mejoraba la función cerebral activando unas neuronas específicas. Asimismo, demostró la posibilidad de prevenir la demencia.

El ejercicio contribuye a estimular tus niveles de energía, te ayuda a controlar tu peso, refuerza tus músculos y huesos y reduce las probabilidades de que contraigas diabetes tipo 2 y cáncer de mama, de colon y de próstata. El ejercicio estimula el crecimiento de células cerebrales y protege contra la muerte de células cerebrales. La Universidad de British Columbia ha comprobado que el ejercicio aeróbico regular puede aumentar el tamaño del hipocampo (la parte del cerebro que te ayuda a aprender y recordar). Básicamente, el ejercicio incrementa en general tu calidad de vida y reduce las probabilidades de que experimentes pérdida de memoria.

El ejercicio puede incluir muchos tipos de movimiento, desde correr hasta montar en bicicleta. Cuando realices un deporte que puede ser más peligroso, como montar en bicicleta o jugar al fútbol, recomendamos que utilices elementos protectores, como un casco, para evitar lesiones en la cabeza. Un estudio llevado a cabo en la Universidad Tufts constató que un solo traumatismo en la cabeza podía causar la enfermedad de Alzheimer. Conviene tener en cuenta tu entorno para evitar que te caigas o sufras una lesión. Es importante que las alfombras estén clavadas al suelo, secar debidamente un suelo resbaladizo, asegurarte de que tus escaleras tengan una baranda resistente y que evites utilizar un taburete o una escalera de mano sin que alguien te sujete. También es importante que lleves un calzado adecuado, porque la altura del tacón puede hacerte perder el equilibrio y que te caigas.

Nuevos estudios de investigación indican que la música puede ayudar a quienes padecen demencia. Los investigadores del Instituto para la Música y la Función Neurológica de la Familia Beth Abraham del Servicio de Salud de Nueva York sostienen que existe un vínculo biológico entre la corteza auditiva del cerebro y su sistema límbico (donde se procesan las emociones) que permite que el sonido sea procesado casi de inmediato por las áreas asociadas a recuerdos y emociones a largo plazo. La música tiene con frecuencia un significado personal para alguien y está relacionada con eventos históricos que inducen una reacción de felicidad en personas aquejadas de demencia. Uno de los afamados neurólogos, el doctor Oliver Sacks, afirma que unas personas que padecían trastornos neurológicos aprendieron a moverse mejor, recordaron más cosas e incluso recuperaron la capacidad del habla al escuchar música o tocar un instrumento musical. En numerosos estudios clínicos de ancianos aquejados por la enfermedad de Alzheimer y otras formas de demencia, una música familiar, no medicación, ha logrado reducir la depresión, minimizar el nerviosismo, aumentar la sociabilidad, el movimiento, la capacidad cognitiva y minimizar la conducta problemática que a menudo se asocia a la demencia. Según estudios publicados en *Science Translation*

Medicine, unos investigadores de la Universidad de Queensland, Australia, han comprobado que un determinado tipo de ultrasonido denominado ultrasonido terapéutico focalizado, que incorpora haces de ondas sonoras no invasivos en el tejido cerebral, ha conseguido estimular las células microgliales en el cerebro para activarlo. Las células microgliales son básicamente los macrófagos residentes del cerebro y la médula espinal, y constituyen la primera y principal forma de defensa inmunológica activa en el sistema nervioso central (CNS). Los macrófagos son unas células blancas que fagocitan y digieren residuos o sustancias extrañas como células cancerígenas. Son capaces de eliminar los acúmulos de beta-amiloide tóxica que inducen los síntomas más graves de la enfermedad de Alzheimer.

Podemos asegurarte de primera mano que la mayor alegría de mi madre es escuchar música. Hace que se sienta feliz, y le encanta escucharla mientras sale a dar un paseo todos los días. Estamos convencidas de que la felicidad que le produce escuchar música, junto con el ejercicio que realiza a diario, ha frenado considerablemente su demencia.

Permanecer activo mental y socialmente

La actividad física es esencial para mantener tu salud mental, como también lo es realizar ejercicios mentales. Leer de forma regular, mantenerte al corriente de los temas de actualidad, aprender a tocar un nuevo instrumento, practicar juegos que requieren un esfuerzo mental y aprender un nuevo idioma son actividades que mantienen la mente activa. Según unos trabajos de investigación llevados a cabo en la Singapore Management University, aprender una lengua extranjera puede ayudar a tu cerebro a procesar mejor la información y reforzar tu agudeza mental. Aprender un nuevo idioma o practicar juegos de formación de palabras son actividades que pueden retrasar y contribuir a reducir los síntomas de demencia.

Todo indica que las personas que han dedicado más tiempo a obtener una formación académica tienen menos probabilidades de padecer un deterioro mental, aunque tengan alguna anomalía cerebral. Algunos investigadores opinan que una educación superior puede ayudar a tu cerebro a desarrollar una red de células nerviosas más resistente que contrarresta los daños causados a las células nerviosas por la enfermedad de Alzheimer. Los estudios avanzados pueden ayudar a reforzar la memoria al hacer que las personas adquieran la costumbre de mantenerse mentalmente activas. Al margen de tu nivel de estudios, cualquiera puede seguir aprendiendo de forma activa toda su vida. Algunas personas amplían su educación asistiendo a clases para adultos y obteniendo grados superiores incluso a edad avanzada. La estimulación mental, sobre todo al aprender algo nuevo, como tocar un instrumento, adquirir un iPhone o un ordenador nuevo o aprender un nuevo idioma, está asociada a un menor riesgo de contraer la enfermedad de Alzheimer. Los investigadores sospechan que una actividad mental que requiere cierto esfuerzo contribuye a fortalecer tu cerebro, haciendo que seas menos susceptible a las lesiones asociadas a la enfermedad de Alzheimer.

Los ejercicios mentales incluyen la interacción social. Una red social amplia y diversa es tan importante como la estimulación intelectual a la hora de mantener tu mente ágil. Es indispensable mantener un contacto regular con amigos y familiares. Mantener una interacción social contribuye a preservar la cognición, y muchas de las experiencias más placenteras son las que compartimos con otros. Practica de forma regular cualquier actividad que te guste. Una visita al teatro, un paseo por el parque, cualquier actividad que implique interactuar con otras personas, como unirte a un grupo o apuntarte a una clase, realizar un trabajo de voluntariado, obtener un empleo o participar en un deporte de equipo son excelentes para mantenerte socialmente activo o activa e importantes para conservar la salud cerebral.

Dormir las horas suficientes

El sueño es esencial para la salud cerebral y para la salud en general. Aunque la necesidad de sueño varía de una persona a otra, los estudios de investigación sugieren que lo ideal es dormir entre seis y ocho horas cada noche. La calidad del sueño puede ser incluso más importante que la cantidad de horas que duermes. Problemas respiratorios durante el sueño, como la apnea obstructiva del sueño, pueden afectar al cerebro. Para algunas personas no es tan sencillo obtener un sueño reparador, especialmente porque el insomnio es más frecuente a medida que envejecemos. Sin embargo, algunos hábitos pueden ayudar. A continuación te ofrecemos algunos consejos para dormir mejor:

- Apaga todas las luces antes de acostarte. Una las principales causas de los problemas colectivos del sueño es el uso de luz artificial y aparatos electrónicos por la noche. Las bombillas eléctricas modernas y los aparatos electrónicos (en particular los monitores de los ordenadores, las tabletas y los teléfonos móviles) producen gran cantidad de una luz azul que «engaña» a nuestra mente haciéndola creer que es de día.

- Establece y mantén una rutina y un horario constante de sueño. Acuéstate a la misma hora cada noche y despiértate a la misma hora cada mañana. Una rutina fija de sueño te «acostumbrará» a dormirte y despertarte con más facilidad.

- Planifica tu ejercicio más vigoroso a primeras horas de la mañana. Hacer ejercicio durante las horas previas a acostarte provoca unos cambios fisiológicos que interfieren con el sueño. Por el contrario, hacer ejercicio por la mañana refuerza tu agudeza mental cuando más la necesitas, al comienzo de la jornada.

- Evita el café y otras fuentes de cafeína, como chocolate, varios refrescos, algunas marcas de aspirina y muchos tipos de tés después de media mañana, porque la cafeína es una estimulante que puede mantenerte despierto durante horas.

- Duerme si estás cansado. Tratar de dormir cuando no estás cansado hace que te pases toda la noche dando vueltas en la cama. Si sigues despierto 20 minutos después de acostarte, levántate y lee un rato para relajarte.

- Si experimentas persistentes problemas de sueño, consulta con el médico para que averigüe las causas de tu insomnio y te prescriba un tratamiento.

Controlar el estrés

El estrés crónico puede causar un grave perjuicio al cerebro, inclusive la contracción de un área clave de la memoria en el cerebro denominada hipocampo. El estrés entorpece también el crecimiento de células nerviosas y aumenta el riesgo de que contraigas la enfermedad de Alzheimer y demencia. A continuación te proponemos unas sencillas técnicas que pueden ayudarte a controlar tus niveles de estrés:

- ¡Respira! El estrés altera tu ritmo de respiración e incide en los niveles de oxígeno en el cerebro. ¡Respira simple y libremente!

- Planifica unas actividades diarias de relajación. Controlar el estrés no es tan difícil. Cuando planifiques tus actividades diarias diviértete redactando una lista de lo que debes hacer y escríbela en color rojo. Un estudio realizado en la Universidad de Regensburg, Alemania, demostró que el color rojo se «graba» en nuestra memoria mejor que otros colores. Es un color ideal para recordar lo que has anotado en tu lista de lo que debes hacer.*

- Convierte la relajación en una prioridad, tanto si se trata de dar un paseo por el parque, dedicar un rato a jugar con tu perro, practicar yoga o darte un baño relajante.

- Mientras te relajas puedes cerrar los ojos y recordar algo agradable que te haya ocurrido ese día. Unos estudios de investigación llevados a cabo en la Universidad de Surrey en el Reino Unido han demostrado que cerrar los ojos mientras recuerdas un acontecimiento puede ayudarte a recordar detalles con un 23 por ciento de mayor precisión. Los estudios indican que cuando eliminamos las distracciones visuales, nuestro cerebro se concentra de modo más eficaz.

- La meditación, la oración, la reflexión y las prácticas religiosas regulares pueden inmunizarte contra los perniciosos efectos del estrés.

* Lisa Mulcahy. «23 formas de estimular tu cerebro».

- Adopta una actitud positiva. Los estudios indican que las personas optimistas tienen una esperanza de vida más larga, un sistema inmunológico más eficaz y menos riesgo de contraer una enfermedad cardiovascular. Pregúntate con frecuencia: «¿Y si todo fuera bien en lugar de mal?». El pensamiento positivo puede activar la habilidad física de tu cerebro de adaptarse y cambiar.

Suplementos para la salud cerebral

No siempre es posible obtener todos los nutrientes que necesitas únicamente a través de la dieta. Las prácticas agrícolas modernas han despojado a nuestros cultivos de unos minerales vitales. Las frutas y hortalizas que crecen en esta empobrecida tierra no poseen los suficientes nutrientes. Estos comienzan a mermar en cuanto un vegetal es recolectado. La conservación por frío contribuye también a la destrucción de nutrientes. En un mundo ideal, podríamos consumir todos nuestros alimentos al cabo de una hora de recolectarlos, pero esto no es posible. Por consiguiente, es importante suplementar nuestra dieta con vitaminas, minerales y hierbas para reducir el deterioro cognitivo. Dado que existen tantos suplementos capaces de reforzar tu memoria y función cognitiva, a veces no sabemos cuáles tomar. No obstante, algunos suplementos han mostrado la posibilidad de prevenir la demencia. Por ejemplo, un estudio publicado en los *Proceedings of the National Academy of Sciences* indicó que la vitamina B_6, B_{12} y el ácido fólico pueden contribuir a reducir la evolución de la enfermedad de Alzheimer. La vitamina D, el magnesio y los ácidos grasos omega-3 (DHA) pueden preservar y mejorar también la salud cerebral. La vitamina E, el ginko biloba, la coenzima Q10, la cúrcuma (la sustancia química vegetal que se encuentra en la raíz de la cúrcuma), el acetil-L-carnitina, los probióticos, el resveratrol, el zumo de aloe vera, la espirulina, el ácido alfa lipoico (ALA), la fosfatidilserina (PS), la raíz de ashwagandha y la vinpocetina pueden ser beneficiosos en la prevención o el retraso de los síntomas de la enfermedad de Alzheimer y la demencia. Es importante elegir unos suplementos que sean naturales en lugar de sintéticos. Las formas naturales tienden a ser más activas y más fáciles de absorber que las versiones sintéticas.

En general, las vitaminas del grupo B ayudan a tu organismo a transformar los alimentos en energía. Las vitaminas B reducen la homocisteína, un aminoácido relacionado con la demencia. Las vitaminas B se encuentran en los cereales enriquecidos, las judías, las hortalizas de hoja de color oscuro, las papayas, las naranjas y los melones cantalupos. También contribuyen a producir glóbulos rojos. Los glóbulos rojos son esenciales para gozar de una buena cognición y memoria, puesto que contribuyen a estabilizar la química cerebral. Ciertas vitaminas son especialmente beneficiosas para el cerebro: la B_1 (tiamina), B_3 (niacina), B_6 (piridoxina), B_9 (ácido fólico o folato), B_{12} (cobalamina), colina y dinucleótido de nicotinamida y adenina (NAD). Debido a que la composición del complejo de vitaminas B varía según la marca, es importante observar la dosis recomendada en la etiqueta.

Existe un marcado vínculo entre los niveles bajos de vitamina D en los pacientes de Alzheimer y los malos resultados de las pruebas cognitivas. Los investigadores creen que los niveles óptimos de vitamina D pueden reforzar la cantidad de sustancias químicas importantes en el cerebro y proteger las células cerebrales aumentando la eficacia de las células gliales que ayudan a reparar las neuronas dañadas. La vitamina D también puede ejercer ciertos efectos beneficiosos sobre la enfermedad de Alzheimer a través de sus propiedades antiinflamatorias y estimuladoras del sistema inmunológico. Es imperativo tomar la suficiente vitamina D para que el sistema inmunológico funcione correctamente a fin de combatir la inflamación, que también está asociada a la enfermedad de Alzheimer.

El magnesio se agrega a y activa más de 300 enzimas, lo que lo convierte en un ingrediente esencial para la mayoría de las reacciones bioquímicas del organismo. El magnesio combate las inflamaciones, refuerza la utilización de antioxidantes y ayuda a mantener la función de las células nerviosas. Los estudios indican que las concentraciones de magnesio en sangre son considerablemente más bajas en pacientes aquejados de Alzheimer que en personas que no padecen esta enfermedad. Asimismo, los estudios indican que los suplementos de magnesio pueden ayudar a combatir el insomnio y las enfermedades cardiovasculares, dos factores de riesgo independientes con respecto al deterioro cognitivo.

El DHA (ácido docosahexaenoico) se encuentra junto con otro ácido graso omega-3 llamado EPA (ácido eicosapentaenoico). Forma parte integrante del tejido cerebral y está en elevadas concentraciones en el hipocampo. El hipocampo constituye el centro de la memoria en el cerebro. Los niveles bajos de DHA están asociados al desarrollo de trastornos del aprendizaje en niños y a la enfermedad de Alzheimer en personas de edad avanzada. Una dieta rica en DHA puede reducir entre un 19 y un 75 por ciento el riesgo de desarrollar un leve deterioro cognitivo. El DHA también ayuda a combatir la depresión. La depresión es un factor de riesgo con respecto al deterioro cognitivo. La mayoría de los suplementos de DHA provienen de pescados de agua fría. Sin embargo, nosotras recomendamos utilizar la fuente vegetariana de DHA que proviene de algas. La mayoría de los suplementos de pescado están contaminados con mercurio. En la dieta basada en alimentos vegetales que presentamos en este libro, recomendamos unas alternativas más saludables a los suplementos de pescado. La mayoría de los adultos pueden beneficiarse tomando suplementos de ácidos grasos omega-3 a diario.

La vitamina E constituye en realidad un grupo de ocho vitaminas solubles en grasa que actúan como potentes antioxidantes, protegiendo tu cuerpo y tu cerebro de los daños causados por los radicales libres. Un estudio publicado en los *Archives of Neurology* en 2002 sugiere que la vitamina E reduce el ritmo de deterioro mental en personas de avanzada edad. El estudio examinó a 2,889 personas de más de 65 años que no padecían demencia u otras enfermedades cognitivas. Los investigadores preguntaron a los participantes qué comían y qué suplementos de vitaminas y minerales tomaban, y a continuación analizaron su función mental a lo largo de tres años. La función mental fue analizada mediante unos miniexámenes modificados del estado mental y otras pruebas estándares. Los participantes que consumían una elevada dosis de vitamina E presentaban un 36 por ciento menos de deterioro mental que las personas que consumían una menor cantidad de vitamina E. Es preferible tomar la vitamina E natural que contiene una combinación de distintos tocoferoles y tocotrienoles (los dos subgrupos principales de vitamina E).

El gingko biloba tiene efectos positivos sobre la demencia. El gingko, que procede de un árbol nativo de Asia, hace tiempo que es utilizado como medicina en China y otros países. En 1997, un estudio publicado en el *Journal of the American Medical Associaton* mostraba pruebas concluyentes de que el gingko mejora el rendimiento y la interacción social de quienes padecen demencia. Otro estudio publicado en 2006 indicaba que el gingko es tan eficaz como el Aricept (donepezilo), un medicamento utilizado para combatir la demencia, para tratar el tipo de demencia semejante a la enfermedad de Alzheimer de carácter leve o moderado.

La coenzima Q10 es un nutriente soluble en grasa cuya principal función consiste en ayudar a producir energía celular, proporcionando a tu cuerpo y cerebro la energía que necesitan para funcionar a nivel óptimo. La coenzima Q10 es también excelente para el corazón.

La cúrcuma es beneficiosa en casi cualquier enfermedad neurológica relacionada con la edad. Es un antiinflamatorio, un antioxidante, contribuye a un control eficaz del azúcar en sangre y protege el sistema cardiovascular contra los daños oxidativos que provocan infartos y accidentes cerebrovasculares.

El acetil-L-carnitina es un derivado del aminoácido carnitina. Además de su función como antioxidante, el acetil-L-carnitina reduce el ritmo al que tus receptores neurotransmisores se deterioran, aumenta el aporte de oxígeno y la eficacia respiratoria y ayuda a transformar la grasa almacenada en el cuerpo en energía.

Los probióticos son unas bacterias beneficiosas necesarias para mantener un buen estado de salud. Ayudan a combatir el síndrome del intestino irritado, la diarrea infecciosa, algunas enfermedades cutáneas y mejoran la salud bucal. Un estudio realizado en el Leiden Institute of Brain and Cognition en la Universidad de Leiden, en los Países Bajos, sugiere que los probióticos pueden ayudar a mejorar el estado de ánimo. Los investigadores examinaron a 40 adultos jóvenes y sanos que no padecían trastornos del estado de ánimo. La mitad de ellos consumieron un potente suplemento probiótico cada noche durante cuatro semanas. El suplemento probiótico se llamaba Ecologic Barrier (barrera ecológica) y contenía ocho tipos de bacterias, incluyendo *Bifidobacterium*, *Lactobacillus* y *Lactococcus* (tres tipos de bacterias que han demostrado ser capaces de mitigar la ansiedad y la depresión). La otra mitad de los participantes tomaron un placebo, aunque creían que tomaban probióticos. Las personas que tomaban suplementos probióticos empezaron a experimentar una mejoría en su estado de ánimo y mostraban menor reacción a los episodios de tristeza que las que tomaban placebos. Básicamente, las personas que tomaban suplementos probióticos estaban mejor capacitadas para superar los estados de tristeza que los otros participantes y por consiguiente tenían menos pensamientos depresivos. Los resultados arrojan luz sobre la capacidad potencial de los probióticos de actuar como terapia preventiva en la depresión. La depresión es uno de los factores que puede conducir a la enfermedad de Alzheimer.

El resveratrol es un poderoso antioxidante que se encuentra en la uva, los arándanos, los arándanos rojos, los cacahuetes y los pistachos. Algunas personas recomiendan beber vino tinto debido a que contiene resveratrol, pero nosotras no aconsejamos consumir ningún tipo de alcohol. Otras fuentes de resveratrol más aconsejables son la uva, el zumo de uva, el extracto de semillas de uva, el extracto de té verde y suplementos. El resveratrol ayuda a prevenir las enfermedades cardiovasculares y puede prevenir algunos tipos de cáncer. Asimismo puede frenar el deterioro cognitivo previniendo la acumulación amiloide. Los estudios indican que tiene un impacto positivo sobre unas proteínas específicas llamadas sirtuinas que previenen la neurodegeneración. El resveratrol reduce también la glucosa en sangre en la diabetes tipo 2, reduce el colesterol malo (LDL) y aumenta el colesterol bueno (HDL). Los estudios han demostrado que la diabetes tipo 2 constituye un grave factor de riesgo que puede conducir a la enfermedad de Alzheimer.

El zumo (o gel) de aloe vera puro posee numerosos beneficios para la salud. Aporta un elevado contenido de vitaminas B_{12}, B_1,

B_2, A, E, y C, niacina y ácido fólico. Estas vitaminas son necesarias para que el cerebro funcione de forma óptima. El aloe vera reduce el colesterol malo (LDL) y el total de triglicéridos. Acelera el riego sanguíneo al mismo tiempo que lo purifica. Esto acelera el aporte de oxígeno a los órganos del cuerpo, incluyendo el cerebro.

La espirulina es un tipo de alga de color verde azulado que crece de forma natural en lagos con un elevado pH y es cultivada en estanques controlados para el consumo humano. Entre los beneficios potenciales de una dieta rica en espirulina cabe mencionar una mejora de la función inmunológica, una disminución de la inflamación y la prevención de enfermedades. La espirulina puede incluso mejorar la función cerebral y la memoria. Contiene una elevada cantidad de betacaroteno, vitaminas del grupo B, hierro, aminoácidos, fitonutrientes y antioxidantes. Además de reducir la inflamación en los tejidos del cuerpo, puede reducir la inflamación del cerebro. Los investigadores de la Universidad de South Florida College of Medicine realizaron un estudio sobre la eficacia de la espirulina como protección contra enfermedades neurodegenerativas como la enfermedad de Parkinson. Los resultados confirman la necesidad de utilizar espirulina como suplemento preventivo. Asimismo, puede prevenir la pérdida de memoria reduciendo el estrés oxidativo en el cerebro, según un estudio publicado en el *Journal of Nutritional Science and Vitaminology*.

El ácido alfa lipoico (ALA) puede estabilizar las funciones cognitivas entre la enfermedad de Alzheimer y detener la evolución de la enfermedad. El ácido alfa lipoico, conocido también como un ácido lipólico o un ácido lipoideo, es un nutriente soluble en grasa y en agua. Estimula la generación de nuevas fibras en tus neuronas, ayudando a reforzar la memoria y frenar el envejecimiento cerebral. Es un antioxidante que se encuentra en la espinaca, el brócoli, los tomates, los guisantes y las coles de Bruselas. Ninguna de estas fuentes proporciona la suficiente cantidad de ALA como para que los beneficios sean importantes, por lo que es mejor suplementar tu dieta con ALA.

La fosfatidilserina (PS) es un fosfolípido que se produce de forma natural en el cerebro. Estimula la comunicación entre las células cerebrales aumentando la producción de varios neurotransmisores importantes, incluyendo la acetilcolina, la serotonina, la epinefrina, la norepinefrina y la dopamina.

La raíz de ashwaganda (*Withania somnifera*) es una hierba que crece en la India, Pakistán y Sri Lanka. Es conocida especialmente por su capacidad de mejorar la resistencia al estrés emocional y físico, que es una fuente común de deterioro cognitivo.

La vinpocetina es un extracto derivado de la vincapervinca. Actúa como un agente antiinflamatorio y aumenta la circulación sanguínea en el cerebro al diluir la sangre y dilatar (ensanchar) los vasos sanguíneos.

A fin de mantener una óptima salud cerebral, es imprescindible conocer ciertos factores que aumentan tus probabilidades de contraer la enfermedad de Alzheimer o demencia. Es preferible evitar la anestesia, las sustancias químicas tóxicas que penetran en nuestros alimentos como el mercurio y el aluminio, las vacunas antigripales, los anticolinérgicos o las estatinas, los somníferos, las pastillas para adelgazar, ciertos medicamentos, el alcohol, el azúcar, los alimentos salados, la carne y todas las formas de tabaquismo.

Algunos medicamentos pueden provocar más de 100.000 muertes al año y hacer que 1,9 millones de personas experimenten unos efectos secundarios tan graves que tienen que ser hospitalizadas. Las reacciones negativas a ciertos medicamentos constituyen en la actualidad la cuarta causa de muerte en Estados Unidos. Toda medicación conlleva ciertos riesgos, y la pérdida de memoria es un efecto secundario muy común. Unos trabajos de investigación sobre este tema, presentados en el congreso anual de la Sociedad Europea de Anestesiología (ESA), sugieren que estar expuesto a una anestesia general puede aumentar en un 35 por ciento el riesgo de demencia en personas ancianas.

Los empastes dentales de amalgama, que se componen en un 50 por ciento de mercurio según el peso, son una de las principales fuentes de toxicidad causada por un metal pesado. La mayoría de los dentistas pueden retirar los empastes de amalgama sin riesgo para el paciente. El mercurio también se encuentra en el pescado, que a menudo es recomendado como «alimento para el cerebro» debido a sus omega-3. Lamentablemente, la mayoría de los pescados contienen demasiado mercurio y no conviene consumirlos.

Procura evitar el aluminio. El aluminio se encuentra en antitranspirantes, utensilios de cocina antiadherentes y vacunas antigripales. Por desgracia, la mayoría de las vacunas contienen mercurio y aluminio, unos agentes neurotóxicos e inmunotóxicos.

Evita los anticolinérgicos y las estatinas. Cabe destacar que la mayoría de los medicamentos que comienzan con el prefijo «anti» (como los antihistamínicos, los antidepresivos, los antibióticos, los antiespasmódicos y los antihipertensivos), suelen incidir de forma negativa en tus niveles de acetilcolina. La acetilcolina es el principal neurotransmisor relacionado con la memoria y el aprendizaje. Cuando nuestros niveles de acetilcolina son bajos, sufrimos frecuentes lapsos de memoria y nos cuesta concentrarnos. Las deficiencias en acetilcolina están asociadas a la demencia y la enfermedad de Alzheimer. Existen cinco fármacos que bloquean la acetilcolina, un neurotransmisor del sistema nervioso, que se ha demostrado que aumentan los riesgos de contraer demencia: ciertos analgésicos antihistamínicos que se toman de noche (como Benadryl), somníferos, ciertos antidepresivos, medicamentos para controlar la incontinencia y ciertos analgésicos narcóticos. Los estudios indican que los antihistamínicos reducen asimismo la absorción de la vitamina B_{12} en el estómago, y la B_{12} es vital para una función óptima del sistema nervioso.

Las estatinas son particularmente problemáticas porque impiden la síntesis del colesterol, eliminan la coenzima Q10 y los precursores neurotransmisores del cerebro e impiden el adecuado aporte de ácidos grasos esenciales y antioxidantes solubles en grasa al cerebro inhibiendo la producción del indispensable portador biomolecular conocido como una lipoproteína de baja intensidad. El libro *The Great Cholesterol Myth* sostiene que estos medicamentos destinados a reducir el colesterol pueden constituir el grupo de fármacos más perjudiciales para el cerebro.* Una cuarta parte de tu

* «20 medicamentos comunes que pueden causar pérdida de memoria».

cerebro se compone de colesterol. El colesterol es necesario para la memoria, el aprendizaje y la agilidad mental. Las estatinas son unos venenos celulares que aceleran el envejecimiento y promueven la fatiga muscular, la diabetes y la pérdida de memoria, y, por desgracia, estos fármacos destinados a reducir el colesterol tienen un efecto negativo sobre el cerebro y pueden provocar efectos secundarios desastrosos.

Los somníferos pueden incrementar tus probabilidades de contraer demencia. Está demostrado que los somníferos que se adquieren con receta médica causan pérdida de memoria. Algunas personas se refieren al conocido fármaco Ambien como «el fármaco de la amnesia». No es infrecuente que algunas personas que lo toman experimenten terrores nocturnos, sonambulismo, sueño al conducir y alucinaciones. Los somníferos pueden inducir en ti un estado semejante a la pérdida de conocimiento debido a una borrachera o un coma que te impide beneficiarte del sueño reparador que necesita tu cerebro. Dormir bien es esencial para la salud cerebral y nos permite afrontar una jornada complicada con más optimismo.

El consumo de alcohol y los «atracones» alcohólicos están asociados a los accidentes cerebrovasculares y a la demencia. De hecho, las personas que reconocieron haber consumido en su madurez más de cinco botellines de cerveza o una botella de vino de una tacada, tenían tres veces más probabilidades que las que no se dan «atracones» alcohólicos de padecer demencia a los 65 años.

El gluten es la proteína que se encuentra en el trigo. Muchas personas son sensibles o alérgicas al gluten (intolerantes al gluten o celíacas). Muchas ni siquiera saben que son alérgicas al gluten y con frecuencia se les diagnostica erróneamente el síndrome de intestino irritable u otra patología gastrointestinal. Según unos estudios, el 83 por ciento de norteamericanos que son celíacos no saben que padecen esta enfermedad o se les diagnostica erróneamente otras dolencias. Según el doctor David Perlmutter, autor de *Grain Brain* (*Cerebro de pan*), consumir alimentos con un elevado índice glicémico, como el gluten, aumenta las probabilidades de padecer trastornos neurológicos como la enfermedad de Alzheimer y demencia. Observa que algunas personas que no son celíacas sufren unas reacciones neurológicas al gluten, como migrañas y «niebla cerebral». El gluten se encuentra en el centeno, el bulgur, el cuscús, la sémola, la cebada, la malta de cebada, el triticale, la espelta y el kamut. Unas opciones más recomendables de cereales integrales son el arroz, el alforfón, el mijo, la quinoa, el teff, el amaranto, el sorgo y la avena.

El azúcar y los edulcorantes como el aspartamo pueden actuar como toxinas, causar una inflamación crónica y alterar el equilibrio hormonal. Asimismo es importante evitar alimentos procesados porque las técnicas de dicho procesado, como un excesivo calentamiento, irradiación, ionización, pasteurización y esterilización, pueden promover una inflamación crónica de baja intensidad contribuyendo a la glicación (el entrecruzamiento anómalo de proteínas) y oxidación de las proteínas y los lípidos. Ciertos métodos de cocción caseros, como freír, asar al horno o a la parrilla, tienen unos efectos análogos a los del procesado de alimentos y aumentan la glicación (los AGE, citados con anterioridad).

Un estudio realizado en la Universidad de California, Los Ángeles (UCLA) en 2012 muestra que una dieta alta en fructosa, otro nombre del azúcar, incide negativamente en el aprendizaje y la memoria haciendo que el cerebro se ralentice. El estudio demostró que unas ratas que consumían elevadas dosis de fructosa tenían la actividad sináptica en el cerebro dañada, lo que entorpecía la comunicación entre las células cerebrales. Un elevado consumo de azúcar hizo que las ratas desarrollaran una resistencia a la insulina, una hormona que controla los niveles de azúcar en sangre y regula, asimismo, la función de las células cerebrales. La insulina refuerza las conexiones sinápticas entre las células cerebrales, ayudándolas a comunicarse mejor, y contribuye a formar unos recuerdos más duraderos. Básicamente, cuando los niveles de insulina en el cerebro disminuyen debido a un excesivo consumo de azúcar, la cognición puede verse afectada. El doctor Fernando Gómez-Pinilla, autor principal del estudio y profesor de neurocirugía en la Escuela de Medicina David Geffen en UCLA, dijo: «Consumir una dieta rica en fructosa altera a largo plazo la capacidad del cerebro de aprender y recordar información. Nuestros estudios confirman que lo que comes incide en tu forma de pensar». A continuación añade que consumir una dieta rica en ácidos grasos omega-3 puede ayudar a minimizar el daño.

La fruta fresca es la mejor golosina para el cerebro. No obstante, a veces es más divertido comer una galleta, un bollo o un trozo de pastel. Te proponemos unos postres que te permiten comer cosas dulces sanas y apetitosas. No se trata de que te prives, sino de que preserves tu salud cerebral.

Debemos preservar nuestra memoria al tiempo que satisfacemos nuestro deseo de comer cosas dulces. Hemos creado unos bocados dulces elaborados con frutas ecológicas, miel sin refinar, azúcar de coco y jarabe de arce puro. La miel está repleta de antioxidantes que pueden ayudar a prevenir los daños celulares y la pérdida de memoria. La miel ayuda al organismo a absorber el calcio, y el calcio contribuye a la salud cerebral. El cerebro necesita calcio para procesar el pensamiento y tomar decisiones. La miel sin refinar contiene unos polifenoles que refuerzan la memoria.

El azúcar de coco puro se extrae de forma natural del cocotero. Se encuentra en la savia de las flores de este árbol y tiene un bajo índice glicémico, lo que se traduce en una alternativa más saludable al azúcar de caña, que posee un elevado índice glicémico. El índice glicémico constituye un indicativo de la forma en que un alimento incide en los niveles de glucosa en nuestro organismo. Cuanto más elevado es el índice más aumentará el nivel de azúcar en nuestra sangre cuando consumamos ese alimento.

El azúcar de coco contiene glutamina e inositol, unas sustancias que contribuyen a mantener el corazón y el cerebro sanos. El jarabe de malta puro es una excelente fuente de manganeso, el cual desempeña un importante papel en la producción de energía y defensas antioxidantes, y es necesario para una adecuada función nerviosa y cerebral.

Las recetas que presentamos en el Capítulo 4 se centran en tomar alimentos puros y evitar los alimentos procesados que perjudican el cerebro. Muchos alimentos procesados contienen excesiva sal. Una ingesta elevada de sodio (sal) está asociada a la hipertensión y otros problemas cardiovasculares. De nuevo, si algo es perjudicial para el corazón, también lo es para el cerebro. La dieta mediterránea utiliza numerosas especias y hierbas en lugar de sal para realzar los sabores de los alimentos. Si consumes alimentos procesados de vez en cuando, procura evitar todos aquellos que contengan más de 500 miligramos de sodio (sal) por porción.

No conviene consumir carnes rojas. Poseen un elevado contenido de grasas saturadas y no son saludables para el corazón. Asimismo, se cree que consumir carnes rojas contribuye a desarrollar la enfermedad de Alzheimer debido a que poseen un alto contenido en hierro. Un estudio llevado a cabo en UCLA indica que la acumulación de hierro en el cerebro es un factor que contribuye al desarrollo de la enfermedad de Alzheimer.*

¡Fumar es tóxico para el organismo! El tabaco aumenta casi en un 80 por ciento las probabilidades de contraer demencia en personas de más de 65 años y casi la mitad de personas que padecen una enfermedad mental son fumadoras. Los estudios muestran que a los fumadores les cuesta más recordar los nombres y los rostros de personas que a los no fumadores.** Nadie sabe si el tabaco perjudica directamente la memoria o si está asociado a la pérdida de memoria porque causa enfermedades que contribuyen a la pérdida de memoria. Fumar es habitual en personas que se sienten deprimidas, y la depresión debilita la memoria. Por lo demás, fumar aumenta el riesgo de padecer un accidente cerebrovascular e hipertensión, otros dos factores que perjudican la memoria. Fumar puede incidir en la pérdida de memoria debido a que daña los pulmones y oprime los vasos sanguíneos del cerebro, privándolo de oxígeno y posiblemente dañando las neuronas.

Mantener un estilo de vida saludable te ayuda a preservar la memoria y frenar el deterioro cognitivo, y puede ayudarte a recuperar lo que has perdido. Si te comprometes a preservar tu salud verás los resultados al cabo del tiempo. Puedes conservar tu agudeza mental sea cual sea tu edad.

* Melinda Smith, Lawrence Robinson y Jeanne Segal. «Prevención de la enfermedad de Alzheimer y demencia: cómo reducir tus riesgos y proteger tu cerebro a medida que envejeces».
** Ibíd.

2

Alimentos para el pensamiento: el poder de la dieta

Tu dieta puede influir no solo en la salud de tu cuerpo, sino en la de tu cerebro. La dieta norteamericana estándar es responsable de muchos problemas de salud graves porque está repleta de alimentos procesados, azúcares, carbohidratos simples, grasas saturadas y trans. Consumir una dieta bien equilibrada que hace hincapié en ciertos alimentos puede ayudar realmente a tu cerebro y formar una barrera protectora alrededor de lo que más valoramos: los recuerdos de toda una vida, la sabiduría y los conocimientos adquiridos.

Nuevos trabajos de investigación publicados por Martha Clare Morris, doctora en Ciencias, del Centro Médico de la Universidad Rush, demuestran que una dieta basada en alimentos vegetales reduce el riesgo de contraer la enfermedad de Alzheimer entre un 35 y un 50 por ciento, dependiendo del rigor con que se siga. Este nuevo enfoque, denominado oficialmente la dieta MIND, Intervención Mediterránea para retrasar las Enfermedades Neurodegenerativas, es un híbrido de la Dieta Mediterránea y los Enfoques Dietéticos para Frenar la Hipertensión (DASH). Esta dieta está asociada a un deterioro cognitivo más lento y es excelente para el corazón. Las pruebas indican que los alimentos que son beneficiosos para el corazón también lo son para el cerebro. Tu cerebro se nutre a través de una de las redes de vasos sanguíneos más extensas. Cada latido del corazón bombea aproximadamente entre un 20 y un 25 por ciento de tu sangre a tu cabeza, donde las células cerebrales utilizan como mínimo un 20 por ciento de los alimentos y el oxígeno que transporta tu sangre.

La dieta MIND no es el único estudio de investigación que confirma el hecho de que una dieta mediterránea puede reducir el riesgo de que contraigas demencia. En el número de julio de 2015 del *Journal of the American Medical Association (JAMA)*, publicaron un estudio realizado sobre 447 hombres y mujeres de aproximadamente 67 años. Todos los pacientes fueron sometidos a una batería de pruebas neuropsicológicas para comprobar si mostraban signos de demencia. Ninguno de los pacientes mostró síntomas de demencia al inicio del estudio. Los investigadores constaron que conservaban la memoria, que mejoró en las personas que seguían la dieta mediterránea y consumían aceite de oliva y frutos secos en comparación con las que simplemente habían reducido su consumo de grasas. De hecho, en el grupo que no consumía la dieta mediterránea la función de la memoria se deterioró en un 17 por ciento.

La dieta MIND consiste en consumir verduras de hoja verde, hortalizas, bayas, frutos secos, judías y cereales integrales todos los días. Asimismo, recomienda limitar el consumo de pescado y pollo. Aconseja no consumir carnes rojas, mantequilla, margarina, queso, dulces, pasteles, fritos o comida rápida. Los alimentos que conviene evitar pueden duplicar el riesgo de deterioro de tu función cognitiva. Para simplificar, piensa en términos de un arcoíris dietético y procura consumir entre siete y ocho colores de alimentos vegetales a diario.

Los alimentos vegetales no solo son bajos en calorías, sino ricos en unos nutrientes que forman parte integrante del plan para mantener la salud cerebral. Incluyen unos antioxidantes (vitaminas y minerales especiales) que contribuyen a combatir la inflamación e impedir que los radicales libres dañen tu sistema nervioso. Consumir una dieta basada en alimentos vegetales rica en frutos secos, cereales integrales y aceite de oliva virgen extra (así como aceite de coco y de aguacate), junto con abundantes frutas y hortalizas frescas, es beneficioso para el cerebro.

Las apetitosas recetas presentadas en este libro se basan en alimentos vegetales, sin lácteos, sin gluten y sin azúcar. El gluten, una proteína que se encuentra en el trigo, el centeno y la cebada, puede tener graves efectos sobre el intestino y el cerebro. Muchos casos de enfermedades neurológicas, conocidas como neuropatías idiopáticas sensibles al gluten, pueden estar causadas o exacerbadas por el consumo de gluten. El doctor David Perlmutter, autor de *Grain Brain* (*Cerebro de pan*), sostiene que consumir alimentos con un elevado índice glicémico, que son algunos de los alimentos con un mayor contenido de gluten, aumenta las probabilidades de desarrollar trastornos neurológicos como la enfermedad de Alzheimer y la demencia. Las dietas ricas en gluten y lácteos no solo contribuyen a la enfermedad celíaca sino que pueden provocar reacciones neurológicas, entre ellas migrañas y «niebla cerebral».

El trabajo de investigación del doctor Perlmutter indica que los dos principales culpables que contribuyen a la enfermedad de Alzheimer son un consumo excesivo de azúcar y de gluten. Cada vez está más claro que el mismo proceso patológico que conduce a la resistencia a la insulina y a la diabetes tipo 2 puede afectar tu cerebro.

Por lo demás, cuando tu hígado tiene que esforzarse en procesar la fructosa (que transforma en grasa), ello altera seriamente su capacidad de producir colesterol, un componente esencial de tu cerebro que es crucial para una óptima función cerebral. Reducir de forma significativa el consumo de fructosa representa un paso muy importante en la prevención de la enfermedad de Alzheimer.

Preparar alimentos frescos, locales y ecológicos constituye el combustible dietético ideal para el cerebro. Conviene evitar alimentos procesados porque el organismo no digiere bien estos alimentos. Cocinar los alimentos puede ser complicado porque al cocinarlos la mayoría de ellos pierden importantes enzimas digestivas. Por ejemplo, mucha gente piensa que la gelatina sin azúcar o el concentrado de zumo de manzana son saludables, pero en realidad se trata de unos alimentos procesados sometidos a elevadas temperaturas y reducidos a unas formas de azúcar muy concentradas en los que el proceso de calentamiento destruye todas las enzimas y vitaminas. Además, estos alimentos procesados no contienen fibra. Los alimentos procesados se transforman en glucosa que puede transformarse, a su vez, fácilmente en grasa y crear numerosos problemas de salud, incluyendo pérdida de memoria.

Un estudio realizado por la Escuela Icahn de Medicina en el Hospital Monte Sinaí demostró que una dieta alta en glicotoxinas denominadas productos finales de glicación avanzada (AGE), las cuales se encuentran en una elevada concentración en carnes muy hechas, es un factor de riesgo en el desarrollo de demencia relacionada con la edad. Los AGE se forman de modo natural en el organismo cuando las proteínas o las grasas se combinan con los azúcares (glicación). Esto incide en la función normal de las células, haciéndolas más susceptibles a sufrir daños y al envejecimiento prematuro. Los AGE abundan en los alimentos derivados de animales con un elevado contenido de grasas y proteínas, como las carnes (en especial las carnes rojas), en los que el proceso de cocción promueve la formación de AGE. Por el contrario, los alimentos ricos en carbohidratos como las hortalizas, las frutas y los cereales integrales contienen una cantidad relativamente baja de AGE, incluso después de ser cocinados. Los alimentos azucarados y los productos procesados y envasados contienen también una elevada cantidad de AGE.

Los métodos de cocción que utilizan elevadas temperaturas para dorar o soasar los alimentos, como asarlos al horno o a la parrilla, tienen el mayor impacto sobre la cantidad de AGE consumidos. La aminoguanidina, un compuesto inhibidor de AGE, impide su formación, y podemos reducir de forma significativa la cantidad de estos cocinando los alimentos con un calor húmedo, por ejemplo al vapor, utilizando unos tiempos de cocción más cortos y a una temperatura más baja. Es preferible consumir una dieta basada en alimentos vegetales beneficiosa para el cerebro; no obstante, si cocinas productos derivados de animales, te aconsejamos que los cocines con ingredientes acídicos como zumo de limón o vinagre para reducir los AGE.

El cuerpo elimina de forma natural los compuestos tóxicos llamados AGE, pero le cuesta eliminarlos cuando ingerimos una cantidad excesiva a través de la comida. Básicamente, todas las células del cuerpo se ven afectadas por la acumulación de AGE. Los AGE están asociados al envejecimiento y también el desarrollo o empeoramiento de muchas enfermedades crónicas, como las enfermedades cardiovasculares, los trastornos hepáticos y la enfermedad de Alzheimer.

Para reducir los perniciosos efectos de los AGE sobre el cerebro:

- Evita asar los alimentos al horno o al grill, freírlos o prepararlos en el microondas.

- Reduce la temperatura de cocción en el horno a 120 °C.

- Reduce el consumo de alimentos procesados. Muchos alimentos procesados han estado expuestos a elevadas temperaturas de cocción para alargar su fecha de caducidad. Este proceso induce un elevado contenido de AGE en los alimentos.

- Consume abundantes frutas y hortalizas frescas. Son excelentes para el cerebro. Cocinadas o crudas, contienen escasa cantidad de AGE y muchas contienen unos compuestos como antioxidantes capaces de reducir en parte los daños causados por los AGE.

7 Grupos de alimentos que refuerzan el cerebro

Estos son los siete grupos de alimentos que refuerzan el cerebro en los que se basan las recetas presentadas en este libro.

1. Coles y verduras crucíferas

El brócoli, la coliflor, el bok choy, las coles de Bruselas, la col y el kale contienen folato y caretenoides que reducen la homocisteína, un aminoácido asociado al deterioro cognitivo. El brócoli es una de las verduras más populares en Estados Unidos. Es un superalimento para todo el organismo. Es rico en calcio, vitamina C, vitaminas B, betacaroteno, hierro, fibra y vitamina K. Estos nutrientes protegen contra los radicales libres, favorecen la circulación sanguínea y eliminan metales pesados que pueden dañar el cerebro. Estas verduras contienen lignanos, que está demostrado que benefician diversas funciones cerebrales como pensar, razonar, recordar, imaginar y aprender palabras nuevas. Las verduras crucíferas son también ricas en glucosinolatos, que ayudan a promover los niveles de acetilcolina, un neurotransmisor vital.

La col lombarda está llena de polifenoles, un poderoso antioxidante que beneficia el cerebro y el corazón. La lombarda contiene también glucosinolatos que combaten el cáncer.

2. Verduras de hoja verde

Las espinacas, la berza, las hojas de mostaza, las hojas de nabo, la lechuga romana y la hoja de roble son unos alimentos ricos en ácido fólico (folato, también conocido como vitamina B_9). El folato mejora la función cognitiva y contribuye a reducir el riesgo de contraer la enfermedad de Alzheimer.

Las espinacas pueden prevenir o retrasar la demencia. Los nutrientes presentes en las espinacas previenen daños al ADN, el crecimiento de células cancerígenas y tumores, además de frenar los efectos del envejecimiento sobre el cerebro. Las espinacas son también una importante fuente de folato y vitamina E.

3. Semillas y frutos secos

Las semillas y frutos secos contienen elevados niveles de ácidos grasos omega-3 que pueden prevenir la enfermedad de Alzheimer y la demencia. Las personas que consumen a diario dietas que contienen ácidos grasos omega-3 tienen menos riesgo de padecer lesiones cerebrales que pueden causar demencia comparadas con las personas que no consumen estas dietas. Los omega-3 ofrecen numerosos beneficios, incluyendo una mejora del aprendizaje, y nos ayudan a combatir trastornos mentales como la depresión, los trastornos del estado de ánimo y la esquizofrenia.

Muchas personas consumen pescado con el fin de obtener omega-3. Sin embargo, no es preciso comer pescado. De hecho, debido a nuestras aguas contaminadas, el pescado contiene demasiado mercurio y no es la mejor opción para beneficiarnos de los omega-3. Puedes obtener los mismos ácidos grasos esenciales (EPA), que se encuentran en los omega-3 de fuentes vegetarianas como los frutos secos, la linaza y las semillas de chía. La linaza proporciona el ácido alfa linolénico, que se transforma en los DHA y DPA de los omega-3 en el organismo.

Las semillas de chía son ricas en ácidos grasos omega-3 y en fibra soluble e insoluble. Estas pequeñas pero potentes semillas ayudan a controlar los niveles de glucosa en sangre, son un antiinflamatorio, contribuyen a la hidratación y contienen muchos antioxidantes. Las semillas de girasol y otras semillas, como las de calabaza, contienen una importante mezcla de proteínas, ácidos grasos omega, zinc, colina, vitamina E y vitaminas B. Estas semillas contienen triptófano, que el cerebro transforma en serotonina para reforzar el estado de ánimo y combatir la depresión.

Las nueces y las almendras son muy beneficiosas para el cerebro y el sistema nervioso. Constituyen una excelente fuente de ácidos grasos omega-3 y omega-6, vitamina B_6 y vitamina E. Está demostrado que la vitamina E previene muchas formas de demencia al proteger el cerebro de los radicales libres, y refuerza el poder cerebral. Los anacardos, las avellanas, las nueces pecanas, los cacahuetes (técnicamente una legumbre) y los pistachos contienen ácidos grasos omega-3 y omega-6, vitamina E, folato, vitamina B_6 y magnesio.

4. Frutas, uvas y bayas

El cerebro es muy susceptible a sufrir daños oxidativos. Las frutas contienen antocianinas que protegen el cerebro de los daños causados por los radicales libres. Asimismo poseen propiedades antiinflamatorias y contienen antioxidantes y vitaminas C y E.

Frutas como los tomates y los pepinos son unos alimentos excelentes para el cerebro. Los tomates contienen licopena, un poderoso antioxidante que combate la demencia y puede mejorar el equilibrio psíquico. El flavonol y la fisetina que contiene el pepino, unos antiinflamatorios, desempeñan un importante papel en la salud cerebral. La fisetina protege contra la pérdida de memoria progresiva y el deterioro cognitivo.

Los aguacates son también unas frutas excelentes para el cerebro. Están repletos de antioxidantes como la vitamina E, que protege el cuerpo y el cerebro de los daños causados por los radicales libres. Son, asimismo, una excelente fuente de potasio y vitamina K, que protege el cerebro del riesgo de padecer un accidente cerebrovascular. Los aguacates tienen una pulpa lisa y cremosa debido a su contenido en grasa. Son ricos en un ácido graso denominado ácido oleico, que ayuda a formar la capa aislante llamada mielina. La mielina ayuda a que la información viaje a una velocidad de más de 320 kilómetros por hora.

Las calabazas son unas frutas que contienen vitamina A, folato y hierro que ayudan a preservar la función cognitiva. El folato es eficaz en la prevención del deterioro cognitivo y la demencia.

Las uvas rojas y negras contienen resveratrol, un poderoso antioxidante que contribuye a prevenir la demencia. Un estudio publicado en *The FASEB Journal* reveló que el vino tinto puede frenar la formación de unas proteínas cerebrales asociadas a la enfermedad de Alzheimer debido a que contiene resveratrol. Puedes obtener resveratrol consumiendo uvas rojas o negras ecológicas, o bebiendo zumo de uva.

Los arándanos contienen flavonoides, unos compuestos que estimulan la memoria. Está demostrado que los flavonoides mejoran la memoria espacial tanto en los animales como en los seres humanos, y los flavonoides derivados de las frutas son especialmente potentes, lo que hace que los arándanos sean una opción perfecta. Otras bayas de color oscuro beneficiosas también para el cerebro son las moras, las bayas de acai y de goji.

5. Judías, legumbres y cereales integrales

Las judías y las legumbres son excelentes fuentes de carbohidratos complejos. Estos carbohidratos complejos están también mezclados con fibra que ralentiza la absorción, procurándonos un aporte constante de glucosa para el cerebro sin riesgo de los picos de azúcar asociados con muchas otras fuentes de azúcar. Las judías y las legumbres son también ricas en ácido fólico, una vitamina B vital para la función cerebral, y ácidos grasos omega esenciales. Contienen también hierro, magnesio, potasio y colina, una vitamina B que estimula la acetilcolina.

Al igual que las judías y las legumbres, los cereales integrales son ricos en carbohidratos complejos, fibra y algunos ácidos grasos omega-3 que protegen el corazón y el cerebro de los perniciosos picos de azúcar, el colesterol, los coágulos de sangre y demás. Los cereales contienen también vitaminas del grupo B que tienen un efecto beneficioso sobre el flujo sanguíneo cerebral. Los cereales integrales como la quinoa (utilizada como cereal aunque en realidad es una semilla) y la avena son una excelente fuente de carbohidratos complejos y fibra que equilibran el azúcar en sangre proporcionando la glucosa esencial para el cerebro. La quinoa, que no contiene gluten y es rica en proteínas, es también una excelente fuente de hierro (que mantiene la sangre oxigenada) y vitaminas B (que equilibran el estado de ánimo y protegen los vasos sanguíneos). La avena contiene ácidos grasos omega-3, folato y potasio. Este superalimento rico en fibra puede reducir los niveles de LDL, o colesterol malo, y mantiene las arterias limpias. Es un alimento beneficioso para el corazón, y para el cerebro.

6. Aceite de oliva, de coco, de macadamia y de aguacate

El aceite de oliva virgen extra contiene un compuesto fenólico natural llamado oleocantal que posee propiedades antioxidantes y antiinflamatorias. Según un estudio publicado en el *ACS Chemical Neuroscience*, los trabajos de investigación realizados con ratones indican que el oleocantal ayuda a eliminar del cerebro las proteínas anómalas presentes en la enfermedad de Alzheimer. El aceite de coco ha demostrado ser beneficioso también para el cerebro. El aceite de coco es una fuente rica en triglicéridos de la cadena media (MCT), que se descomponen en cetonas. Se ha comprobado que los valores superiores de cetonas (derivados de grasa que constituyen la única otra fuente de combustible aparte de la glucosa para que el cerebro funcione) contribuyen a una mejora notable en pacientes de Alzheimer. Los MCT que contiene el aceite de coco pueden ofrecer beneficios terapéuticos a los adultos que padecen pérdida de memoria. El aceite de coco puede contribuir a reforzar los niveles de energía y resistencia, puesto que no se almacena en el cuerpo como otras grasas y se descompone más rápidamente en el hígado, y es utilizado como un carbohidrato. El aceite de macadamia posee un nivel más alto de grasas monoinsaturadas que el aceite de oliva. Contiene ácido oleico, el mismo tipo de grasa que los aguacates y puede contribuir a reducir los niveles de triglicéridos. El aceite de macadamia posee la proporción ideal de grasas omega-3 y omega-6, unas grasas sanas para el cerebro. El aceite de aguacate contiene también elevadas cantidades de ácidos grasos monoinsaturados. Un estudio publicado en octubre de 2012 de la Federación de Sociedades Norteamericanas para la Biología Experimental indicó que los ácidos grasos monoinsaturados contribuyen a proteger las células nerviosas en el cerebro denominados astrocitos, los cuales proporcionan ayuda a los nervios que transportan información. En el estudio, las grasas monoinsaturadas mejoraron la capacidad del cerebro de controlar los músculos en animales en los que la función de los astrocitos se había deteriorado. El aceite de pescado no proporcionó los mismos beneficios. Los investigadores concluyeron que las grasas monoinsaturadas pueden ser beneficiosas en el tratamiento de ciertos trastornos cerebrales.

7. Especias para el cerebro

La cúrcuma es una especia utilizada con mucha frecuencia en la cocina asiática e india y es conocida por formar parte del curry en polvo. Se trata de una sustancia química vegetal que se encuentra en la planta llamada cúrcuma. Inhibe una neurotoxina que ha sido vinculada a trastornos neurodegerativos y todo indica que es un agente antioxidante y antiinflamatorio.

La pimienta negra es la especia más utilizada en el planeta y contiene piperina. La piperina puede ayudar a inhibir la descomposición de dopamina y serotonina (dos neurotransmisores cruciales para la salud cerebral y para regular el estado de ánimo). También se ha comprobado que ayuda a controlar el flujo de calcio en el cerebro, lo que tiene unos efectos anticonvulsivos.

El ajo contribuye a diluir la sangre, lo que aumenta el flujo sanguíneo a través del cuerpo, inclusive el cerebro. También ayuda a combatir los daños causados por los radicales libres en el cerebro, los cuales están asociados con enfermedades neurodegerativas como la enfermedad de Alzheimer. El ajo ha demostrado también su eficacia en prevenir y combatir los tumores cerebrales.

El jengibre es un poderoso antioxidante con propiedades antiinflamatorias que mejora considerablemente la función cognitiva. En un estudio publicado en Estados Unidos, un grupo de mujeres entre 50 y 60 años fueron sometidas en Tailandia a unas pruebas para valorar su función cognitiva y de la memoria antes de tomar unos suplementos de jengibre durante dos meses. A la mitad de las mujeres se les proporcionó unos suplementos de jengibre y a la otra mitad, placebos. Las mujeres que tomaron los suplementos de jengibre mostraron «una mejora significativa en las funciones cognitivas y de la memoria activa en comparación con las mujeres a las que se les proporcionó un placebo». Los informes de los investigadores concluyeron que el extracto de jengibre reforzaba la atención y procesado cognitivo en las mujeres.

La canela estimula la actividad cerebral eliminando la tensión nerviosa y reduciendo la pérdida de memoria. Oler canela puede estimular la función cognitiva y el rendimiento de la memoria de ciertas tareas, así como aumentar nuestra atención y concentración.

El simple aroma del romero ha demostrado ser capaz de mejorar la memoria y las funciones cognitivas. Mejora el flujo sanguíneo cerebral y el estado de ánimo. Es un poderoso desintoxicante que puede ayudar a combatir el cáncer, estimular la energía y combatir el envejecimiento cutáneo.

La salvia es una hierba maravillosa que posee poderosas propiedades antiinflamatorias y mejora la memoria. En unas pruebas realizadas con esta hierba, incluso pequeñas cantidades de esta han demostrado mejorar de forma considerable la capacidad de recordar. La raíz de la salvia china contiene unos compuestos muy parecidos a los fármacos utilizados para tratar la enfermedad de Alzheimer. Esta hierba viene siendo utilizada desde hace más de mil años para tratar problemas relacionados con el cerebro. Se ha comprobado que la salvia mejora la interconectividad de distintas partes del cerebro. El ácido carnósico, un antioxidante que se encuentra en la salvia, puede incluso traspasar la barrera sanguínea para frenar los daños causados por los radicales libres en el cerebro. Este mismo antioxidante aumenta nuestra producción de glutatión, un importante antioxidante que combate el envejecimiento, que mejora el flujo sanguíneo cerebral dilatando las arterias medianas cerebrales. El glutatión se utiliza para tratar todo tipo de trastornos cerebrales, desde al autismo hasta la enfermedad de Alzheimer. Es vital gozar de una óptima circulación cerebral.

El té verde posee numerosos antioxidantes. El té matcha, derivado del té verde, posee incluso una mayor cantidad de antioxidantes y de clorofila. Ambos extractos refuerzan la función cognitiva, en especial la memoria activa del cerebro.

Todas estas especies y hierbas ayudan a proteger el cerebro y reducen la inflamación. Añadiendo estos siete alimentos beneficiosos para el cerebro a tu dieta reducirás tus riesgos de padecer una pérdida de memoria y otras enfermedades. Los deliciosos platos presentados en el Capítulo 4 contienen unos alimentos que no solo son excelentes para el cerebro sino para todo el organismo.

3

Una cocina abastecida con criterio

Es una buena idea tener una amplia variedad de productos culinarios de primera necesidad a mano. Disponer de los productos culinarios adecuados —unos productos beneficiosos para el cerebro— facilita la preparación de comidas y snacks saludables incluidos en las recetas presentadas en este libro. Es importante utilizar alimentos integrales y productos de alimentos integrales que no hayan sido procesados (o mínimamente procesados) para que se asemejen lo más posible a su estado natural y contengan el máximo de nutrientes. Esto significa alimentos integrales, incluyendo hortalizas y frutas frescas, cereales integrales y judías preferiblemente cultivados en la región. También significa utilizar edulcorantes naturales sin refinar como zumos de fruta, azúcar de dátil, azúcar de coco, miel sin refinar o jarabe de arce. Lo ideal es utilizar alimentos ecológicos, no solo porque son mejores para ti, sino mejores para el medio ambiente.

¿Por qué ecológicos?

Los alimentos ecológicos se cultivan en una tierra fértil libre de pesticidas y fertilizantes sintéticos. No contienen aditivos químicos, hormonas ni conservantes. Y puesto que se aproximan mucho a su estado natural, saben mejor. Muchos pesticidas contienen neurotoxinas diseñadas para dañar el sistema nervioso de los insectos. Unos estudios sobre la salud medioambiental realizados en la Universidad de Harvard en el sur de Dinamarca indican que los pesticidas diseñados para dañar el sistema nervioso de los insectos también pueden dañar el cerebro humano.

Otra importante razón para elegir alimentos ecológicos es evitar los alimentos transgénicos, producidos por organismos genéticamente modificados (GMO). Para simplificar, los genes de las plantas transgénicas han sido alterados o manipulados artificialmente para mezclar y combinar el ADN de especies totalmente distintas, a menudo con el propósito de cultivar una versión más grande y mejorada del cultivo o crear un cultivo resistente a los pesticidas y herbicidas. El aumento de pesticidas y sustancias químicas en nuestros alimentos y nuestro medio ambiente está destruyendo las bacterias sanas y naturales en nuestro estómago e incidiendo de forma perjudicial en nuestro organismo, lo cual podría ser la causa del aumento de las alergias a los alimentos, aparte de provocar un impacto negativo sobre la función cerebral.

La ciencia ha descubierto que casi un 90 por ciento de la serotonina en el organismo se produce durante la digestión. Más de 30 neurotransmisores (sustancias químicas cerebrales) se crean mediante el proceso digestivo y las bacterias que tenemos en la tripa. Los organismos genéticamente modificados y el glifosato tienen un efecto pernicioso sobre las bacterias digestivas. Una mala digestión provoca multitud de problemas físicos y emocionales. Una mala digestión puede desembocar en una mala «salud intestinal», que a menudo es culpable de numerosos casos de autismo y depresión. El glifosato daña las bacterias intestinales, que a su vez puede incidir negativamente en la salud cerebral. El glifosato altera la capacidad del hígado de desintoxicar, lo cual permite que las toxinas penetren en el cuerpo, atraviesen la barrera sanguínea y dañen la salud cerebral.

Elige con cuidado tu menaje de cocina

Los utensilios de cocina pueden afectar tu salud. Pueden contener productos químicos como aluminio, plomo, cobre, mercurio y plástico que pueden penetrar en nuestros alimentos. Evita los utensilios de aluminio. El aluminio es un metal que se encuentra en los aditivos de los alimentos, los tubos de escape de los vehículos, el humo del tabaco, botes de aluminio, recipientes de cerámica, antiácidos, medicamentos antidiarreicos y vacunas infantiles. Unos estudios han demostrado que una exposición prolongada o intensa al aluminio está asociada con daños al sistema nervioso y la formación de placas amiloides en el cerebro. Las placas amiloides están vinculadas con el desarrollo de la enfermedad de Alzheimer y otras formas de demencia que interfieren con tu función cognitiva básica. Las sartenes, las cacerolas, las fuentes de horno y los utensilios antiadherentes de teflón resultan prácticos, pero están hechos de compuestos perfluorados que algunos estudios vinculan al cáncer y problemas reproductivos. Los platos de cerámica se pueden resquebrajar y desportillar porque los esmaltes utilizados en ellos suelen contener plomo, que también puede penetrar en los alimentos. Incluso conviene sustituir los escurreplatos de aluminio recubierto de plástico por escurreplatos de acero inoxidable. Es preferible utilizar fuentes de horno de cristal y cacharros de cocina de acero inoxidable o hierro colado, así como cuencos de acero inoxidable y cristal. Aunque el envenenamiento debido a un metal pesado es raro, sus efectos sobre el cerebro y el sistema nervioso pueden ser graves y provocar un deterioro cognitivo y pérdida de memoria.

Objetos imprescindibles en una cocina

Hemos confeccionado una lista de productos que recomendamos que tengas a mano en tu cocina. Cuando compres artículos envasados, lee siempre los ingredientes que figuran en la etiqueta, incluso productos que han adquirido anteriormente, dado que los fabricantes a menudo cambian los ingredientes que contiene un producto sin previo aviso.

Sustitutos de la leche

Leche de arroz (ligera, de sabor suave y fácil de adquirir), leche de avena (de sabor suave), leche de coco (espesa y de marcado sabor), leche de almendras (con un dulzor natural), leche de avellanas (ligeramente dulce), leche de quinoa (ligera y suave), leche de linaza y leche de cáñamo (ambas tienen un fuerte sabor a nuez). Para una nutrición óptima, elige unas variedades ecológicas que estén reforzadas con calcio y vitaminas D, B y E.

Suero de mantequilla sin ingredientes lácteos: mezcla una cucharada de zumo de limón o vinagre de manzana de sidra con una taza de las leches enumeradas más arriba. Deja reposar unos minutos para que se espese.

Nata sin ingredientes lácteos: cuando una receta requiera nata que no contenga ingredientes lácteos, puedes utilizar en vez de nata la misma cantidad de puré de patata.

Sustitutos de la mantequilla

La mantequilla otorga un sabor delicioso a las galletas, pero puedes sustituirla por aceite de oliva virgen extra, aceite de semillas de sésamo o aceite de girasol. El aceite de coco sin refinar (que tiene una consistencia sólida a temperatura ambiente) añade la densidad que le daría la mantequilla. Existen varios sustitutos veganos de la mantequilla, como la marca Earth Balance, que no contiene grasas trans y tiene el sabor mantecoso que requieren muchas galletas navideñas.

Sustitutos de la nata

La nata crea una textura suave y a veces esponjosa en los alimentos preparados al horno. Presta un toque untuoso y una calidad aterciopelada al plato. La cremosidad de la leche de coco hace que sea un buen sustituto de la nata. Otro buen sustituto casero consiste en mezclar una parte de anacardos y una parte de agua hasta obtener una mezcla homogénea.

Sustitutos de los huevos

Para elaborar tu propio sustituto de los huevos y preparar un plato al horno, prueba cualquiera de estas combinaciones de ingredientes, cada una de las cuales equivale a un huevo:

- 1 cucharada de linaza o semillas de chía + 3 cucharadas de agua tibia (deja reposar 3 minutos).

- 1 cucharada de copos de agar-agar disueltos en ¼ de taza de agua caliente y remuévelos hasta obtener una emulsión ligera.

- 1 cucharadita de levadura en polvo + 1 cucharada de vinagre de manzana de sidra.

- 1 cucharada de agar-agar + 1 cucharada de agua.

- ¼ de taza de puré de patata.

- ½ cucharadita de levadura en polvo + 3 cucharadas de compota de manzana.

Aceites

No todos los aceites son iguales. Ten en cuenta estas categorías básicas a la hora de cocinar.

- Para hornear: es preferible utilizar aceite de coco o un aceite con un elevado contenido oleico como el aceite de cártamo o de girasol.

- Para sofreír: utiliza aceite de coco, de macadamia o de aguacate. Son los aceites que mejor resisten el calor. Procura no calentar el aceite en exceso, pues hace que se oxide. Si ves que el aceite empieza a humear deséchalo, porque significa que se ha estropeado.

- Para saltear: utiliza aceite de coco, de oliva, de macadamia, de aguacate, de sésamo o un aceite con un alto contenido oleico como el aceite de cártamo o de girasol. Nosotras utilizamos aceite de oliva virgen extra, porque contiene grasas monoinsaturadas saludables para el corazón y el cerebro, y fenoles que contienen unos compuestos protectores que ofrecen numerosos beneficios. Para maximizar los beneficios para la salud, recomendamos que lo utilices crudo en las ensaladas y los dips, y para cocinar a fuego lento. Los aceites refinados recomendados para cocinar a fuego vivo y para freír son etiquetados como «de elevado contenido oleico», como los aceites de cártamo o de girasol. No recomendamos freír ni «dorar» los alimentos porque la elevada cantidad de AGE que producen estos métodos de cocción no son saludables para el cerebro.

- Para dips, aliños y adobos: utiliza aceite de oliva, de linaza, de sésamo tostado, de macadamia o de nueces. Estos aceites tienen un excelente sabor y son ideales para preparar dips y aliños.

Nosotras utilizamos aceites que han sido prensados mecánicamente de la semilla sin utilizar disolventes químicos. Son aceites «prensados en frío». En lo que respecta a aceites de oliva, de aguacate y de frutos secos nosotras los adquirimos «prensados en frío», que precisan tan solo un prensado mecánico y centrifugado.

Recomendamos conservar los aceites en una botella de cristal con cierre hermético en un lugar fresco y oscuro. En el caso de aceites que no vas a utilizar hasta al cabo de un mes, lo ideal es conservarlo en el frigorífico. El aceite de coco tiende a solidificarse a temperatura ambiente. Para devolverlo a su estado líquido, viértelo en un cazo y caliéntalo a fuego lento.

Los aceites naturales deben tener un olor y sabor fresco y agradable.

Nota: la compota de manzana sirve emulsionante y constituye también un magnífico sustituto de los huevos, el aceite o la manteca cuando desees reducir la grasa. Media taza de compota de manzana sin azúcar equivale a un huevo.

Legumbres

Los estudios han demostrado que las personas que consumen más legumbres tienen menos riesgo de contraer enfermedades cardíacas, y los fitoquímicos que se encuentran en las legumbres protegen también el cerebro. Las legumbres contienen un amplio abanico de productos químicos vegetales que combaten el cáncer, específicamente isoflavonas y fitoesteroles, los cuales están asociados a un menor riesgo contraer cáncer. Otra ventaja de las legumbres es su elevado contenido de fibra saludable, que desempeña un importante papel a la hora de controlar los niveles de colesterol en sangre. Las legumbres contienen saponinas y fitoesteroles, que ayudan a reducir el colesterol y son beneficiosos para el cerebro. Algunas legumbres, como las habas de soja, contienen sustancias que pueden interferir con la absorción de betacaroteno y las vitaminas B_{12} y D. Es importante cocer las legumbres a fuego lento porque las legumbres cocidas facilitan la absorción de las vitaminas.

Las legumbres secas se conservan hasta un año en un recipiente hermético en un lugar fresco y seco, alejado de la luz del sol.

Paca cocinar las legumbres: Pon las legumbres secas en remojo en agua fría durante aproximadamente 8 horas o durante la noche. El hecho de ponerlas en remojo las hidrata y acorta considerablemente el tiempo de cocción. Es mejor ponerlas en remojo en un lugar fresco o en el frigorífico para evitar la fermentación. Lava bien las legumbres antes de ponerlas en remojo.

Añade cualquier tipo de condimento, hierbas o especias, hacia el final de la cocción, porque la cocción tiende a disminuir cuanto más tiempo cuezan las legumbres. Para reducir el tiempo de cocción en 10 minutos, añade unos ingredientes acídicos como zumo de limón o vinagre.

- Judías negras: ricas en magnesio, tienen una textura aterciopelada y un sabor ligeramente dulce. Ideales en platos mexicanos y hamburguesas vegetales.

- Garbanzos: Las legumbres más consumidas en el mundo. Redondos y firmes, con sabor a frutos secos. Constituyen la base del hummus, que puede utilizarse como dip o para untar.

- Habas: de color verde esmeralda cuando son frescas, con una textura firme y un sutil sabor a frutos secos. Ideales en ensaladas.

- Judías del barco: unas judías pequeñas, blancas, de forma arriñonada, con un alto contenido en calcio. Perfectas en ensaladas.

- Judías riñón: rojas por fuera y blancas por dentro. Contienen una elevada cantidad de proteínas y nutrientes beneficiosos para el cerebro como los ácidos grasos omega-3 y hierro. Ideales en guisos, sopas, con chile y en ensaladas.

- Lentejas: unas legumbres diminutas, tiernas y sabrosas. Debido a su pequeño tamaño no requieren ponerlas en remojo. Excelentes en sopas, ensaladas y hamburguesas vegetales.

Harinas

Avena (sin gluten), arroz integral, sorgo, amaranto, alforfón, garbanzos, mijo, patatas, lentejas, castañas, maíz, tapioca, linaza, teff, almendras y quinoa.

Por regla general estas harinas no pueden ser sustituidas de forma equivalente por harina de trigo, y requieren cierta cantidad de goma xantana (un emulsionante) dependiendo de la receta.

Productos para hornear y espesantes

Levadura en polvo (sin aluminio y sin albúmina), bicarbonato de soda, arrurruz, harina de tapioca, polvo de agar-agar, fécula de patata.

Asegúrate de que la levadura en polvo no contiene lecitina, que podría derivarse de una fuente de soja o de huevos. La goma xantana confiere esponjosidad al pan y se utiliza para ligar la harina e impedir que se formen grumos.

Frutos secos y semillas

Linaza, harina de linaza, semillas de calabaza, semillas de sésamo, semillas de chía, mantequilla de girasol y tahini (mantequilla de semillas de sésamo).

Estas semillas (a excepción de las semillas de sésamo) rara vez provocan alergias y son consideradas aceptables. No obstante, ten presente que aunque las semillas de sésamo no son consideradas uno de los principales alérgenos por las autoridades sanitarias, las reacciones a ellas —con frecuencia graves— han ido en aumento, y a menudo las semillas de sésamo son consideradas el noveno alérgeno alimentario. (En nuestros recetarios sin alérgenos enumeramos los ocho alérgenos principales y en ocasiones la gente nos escribe para que incluyamos a las semillas de sésamo en esta lista).

Almendras, nueces de Brasil, anacardos, avellanas, nueces de macadamia, nueces pecanas, cacahuetes (en rigor una legumbre), piñones, pistachos, nueces.

Las mantequillas de frutos secos más comunes son la de nueces, la de almendras y la de anacardos.

Nota: el coco es utilizado en muchas recetas porque es saludable para el cerebro y tiene un sabor muy rico. El coco no es un fruto seco, pero el aceite de coco es excelente para el cerebro y un magnífico aceite para cocinar. Cuando utilizamos aceite de coco utilizamos un aceite de coco ecológico puro.

Edulcorantes (preferiblemente ecológicos)

Nuestra primera recomendación con respecto a los edulcorantes son las frutas frescas y los edulcorantes sin procesar como la miel sin refinar, el jarabe de arce puro y el azúcar de coco ecológico. El azúcar de dátiles tiende a formar grumos y a endurecerse, por lo que conviene utilizarlo inmediatamente después de abrirlo. Unas buenas opciones como edulcorantes (con moderación) son el azúcar de coco (sin azúcar y elaborado con la savia del cocotero), zumo de frutas (naranja, manzana, pera), concentrado de frutas (congelado), fruta del monje, miel, estevia y jarabe de arce puro.

Productos en conserva y embotellados

Legumbres (judías negras, garbanzos, judías blancas, etcétera), maíz (solo ecológico), mermeladas endulzadas con fruta, aceitunas, puré de calabaza, salsa de tomate.

Asegúrate de que los botes que adquieras no contengan bifenol A (BPA) y bifenol S (BPS). Estos productos químicos que se encuentran en los plásticos tienden a penetrar en el cuerpo. Los estudios han mostrado que los BPA y los BPS causan todo tipo de problemas de salud, incluyendo cáncer de mama y de próstata, cardiopatías, diabetes tipo 2, autismo, tumores en el hígado, asma, esterilidad e interfieren con el desarrollo cerebral correcto. La mejor forma de protegerte de BPA, BPS y de sus primos químicos, es evitar en lo posible el plástico, inclusive los plásticos que sostienen que no contienen BPA. Sustituye las botellas de agua de plástico por botellas de acero inoxidable de calidad. Utiliza recipientes de cristal para conservar los alimentos y desecha los de plástico. Procura evitar los productos enlatados.

Condimentos y potenciadores del sabor

Vinagre de manzana de sidra, vinagre balsámico, pimienta negra, algarroba en polvo; canela, hierbas frescas/secas (albahaca, romero, tomillo, cilantro, orégano), ajo en polvo, sal de ajo, ketchup, limones, limas, mostaza, nuez moscada, pepinillos, sal marina, Tabasco u otras salsas picantes, extracto de vainilla (sin trigo y sin gluten).

Grasas amigas

Según la Asociación Norteamericana del Corazón, una dieta beneficiosa para el corazón puede contener hasta un 30 por ciento de calorías procedentes de las grasas, siempre y cuando buena parte de estas sean insaturadas. Las grasas insaturadas, entre las que se incluyen las variedades monoinsaturadas y las poliinsaturadas, son «grasas amigas» que reducen los niveles de colesterol malo o LDL. Las grasas monoinsaturadas se encuentran en las aceitunas y los aceites de macadamia y de coco. El aceite de oliva es conocido por su alto contenido en grasas monoinsaturadas saludables para el corazón. No obstante, el aceite de nueces de macadamia se compone principalmente de ácidos grasos omega-3, que según unos estudios realizados ha demostrado ser eficaz en el tratamiento y la prevención de diversas enfermedades, entre ellas las enfermedades cardiovasculares, los accidentes cerebrales e incluso la enfermedad de Alzheimer.

Grasas enemigas

Las grasas saturadas no son tus amigas. Aumentan el LDL (el colesterol malo), que obstruye tus arterias y puede provocar enfermedades cardíacas. Las grasas saturadas, que se encuentran principalmente en fuentes animales como la leche entera, la mantequilla y las carnes grasas, incrementa también el riesgo de contraer diabetes de tipo 2. Otra «enemiga» a evitar es la grasa hidrogenada. Este tipo de grasa se produce cuando se añade hidrógeno a un aceite (por lo general insaturado) para que se solidifique a temperatura ambiente. Durante este proceso, la grasa se vuelve más saturada. Las grasas trans, consideradas las peores grasas saturadas, aparecen durante el procesado de alimentos mediante una hidrogenación parcial. Las grasas trans se encuentran con frecuencia en productos comerciales como galletas crackers, patatas chips, productos tostados y productos congelados como gofres y patatas fritas.

Ingredientes utilizados en estas recetas

Las recetas presentadas en este libro utilizan grasas saludables para el corazón y el cerebro. Estas grasas son aceites de oliva virgen extra, prensados en frío y aceite de coco ecológico. Los beneficiosos ácidos grasos que contienen son también vitales para la función nerviosa y cerebral. Por desgracia, como hemos comentado anteriormente, muchas variedades comerciales de estos aceites son sometidas a procesados químicos y altas temperaturas que inducen la formación de peligrosos radicales libres. Estos radicales libres pueden evitarse utilizando aceites ecológicos, prensados en frío y mínimamente procesados.

Ten presente que a menudo la avena y la harina de avena son procesadas en instalaciones que manipulan también trigo (y otros cereales que contienen gluten, como el centeno y la cebada), por lo que pueden estar contaminadas. Procura adquirir unas variedades que garanticen que no contienen trigo ni gluten. Disponer de estos ingredientes en la cocina hace que cocinar resulte fácil, divertido ¡y saludable para el cerebro!

Lavado de frutas y verduras

Lava siempre las frutas y verduras antes de consumirlas. Incluso las variedades ecológicas pueden contener bacterias debido a su procesado, transporte y manipulación. A continuación te ofrecemos la sencilla receta que utilizamos y recomendamos:

1. Vierte 1 taza de agua y 2 cucharadas de zumo de limón fresco, vinagre, sal o bicarbonato de soda en una botella con espray y agítala bien.

2. Rocía la fruta o las verduras con esta mezcla, frótalas suavemente con las manos y enjuágalas con agua fría

3. Guarda los restos del líquido en el frigorífico.

Aunque no prepares esta mezcla para lavar las frutas y verduras, conviene que las laves bien con agua fría.

Unos consejos útiles

He aquí unos rápidos y útiles consejos y pautas antes de que prepares las deliciosas recetas que presentamos en el Capítulo 4:

• Si quieres utilizar miel, en su lugar puedes emplear unas cantidades equivalentes de jarabe de arce o azúcar de coco. En ocasiones la miel cristaliza. En tal caso, viértela en una taza o recipiente de cristal resistente al fuego y colócalo en una cazuela o cacerola con agua caliente. Cuando la miel empiece a calentarse, remuévela hasta que recupere su estado líquido.

• Cuando una receta requiera aceite y un edulcorante líquido, mide primero el aceite. Después de verter el aceite en una taza medidora, utiliza la misma taza (no la limpies) para medir el edulcorante. Los restos de aceite en la taza permitirán que el pegajoso edulcorante se deslice fuera de la taza con facilidad. Para que los alimentos se cocinen en el horno de modo uniforme, colócalos en la bandeja del centro, salvo que la receta indique lo contrario.

- Para sacar el máximo zumo de las naranjas, las limas o los limones frescos, restrégalos contra la encimera de la cocina antes de exprimirlos.

- La mayoría de las recetas que contiene este libro pueden prepararse con antelación y conservarse en el frigorífico o congelador.

Armada con la información necesaria para preparar unas recetas saludables para el cerebro, ¡es hora de ponerte manos a la obra!

4

Recetas
para la salud cerebral

Sensacionales smoothies
Apetitosos aperitivos
Gustosas guarniciones
Excepcionales entrantes

Espectaculares ensaladas
Sabrosas sopas
Primorosos postres y snacks

Unas notas

- Puedes preparar muchas de estas recetas utilizando una batidora o un robot de cocina. No todo el mundo dispone de ambos electrodomésticos. Para las recetas incluidas en los Sensacionales smoothie*s*, utilizamos una batidora.

- Utiliza aceite de oliva virgen extra en las recetas, porque se extrae utilizando métodos naturales y su pureza está certificada, así como ciertas cualidades como el sabor y el aroma.

- Observarás que algunas recetas requieren que cuezas las verduras al vapor. La cocción al vapor es un método ideal para preparar las verduras. No requiere que utilices grasas, y el suave calor del vapor contribuye a que estas conserven sus nutrientes y su sabor. Si no dispones de un cocedor a vapor o de un colador puedes cocinar tus verduras al vapor en una cazuela grande. Después de colocar las verduras en ella, la clave consiste en añadir solo un poco de agua (un par de centímetros) y dejar que hierva.

Cuando el agua rompa a hervir, apaga el fuego y mantén las verduras en la cazuela, tapada, para que el vapor no se escape.

SMOOTHIES SENSACIONALES

Los smoothies son una forma saludable y apetitosa de disfrutar de la fruta. ¡Y puedes preparar uno en pocos minutos! Aunque la base de un smoothie es la fruta o el zumo de fruta, a menudo espesado con hielo, hay muchos ingredientes (y combinaciones de ingredientes) que convierten un simple smoothie en una bebida sensacional con un plus de sabor, sustancia y valor nutricional. A continuación enumeramos algunos de nuestros ingredientes favoritos para preparar un smoothie.

Zumos que puedes añadir

De acai	De uva	De melocotón
De manzana	De pomelo	De pera
De arándanos	De kiwi	De piña
De zanahoria	De limón/lima	De granada
De cerezas	De mango	De frambuesa
De arándonos rojos	De naranja	De sandía
De bayas de goji	De papaya	

Frutas y verduras que puedes añadir (peladas y descascarilladas)

Acai	Bayas de goji	Melocotones
Manzanas	Higos	Peras
Albaricoques	Uvas	Piña
Aguacates	Pomelos	Ciruelas
Arándanos	Melón Honeydew	Granadas
Pimientos morrones	Kale	Frambuesas
Moras	Kiwis	Fresas
Cantalupos	Limones/limas	Espinacas
Arándanos rojos	Mangos	Sandía
Pepinos	Naranjas	
Dátiles	Papayas	

Espesantes

¡Absorbe todos los nutrientes! Nosotras ponemos en remojo las semillas y los frutos secos crudos porque son más fáciles de digerir, lo cual incrementa su valor nutricional. Recomendamos que los pongas en remojo de dos a ocho horas en unos recipientes de cristal y los coloques en el frigorífico.

Para añadir espesor

Aguacates
Plátanos
Cubitos de hielo
Copos de avena (puestos previamente en remojo)
Frutos secos crudos (almendras, nueces pecanas, anacardos o nueces puestos previamente en remojo)
Semillas crudas (semillas de chía, de linaza, de calabaza o de girasol, puestas previamente en remojo)
Sorbetes

Ingredientes para realzar el sabor

Puré de bayas de acai
Algarroba en polvo
Canela
Leche de coco
Dátiles
Jengibre
Bayas de goji
Leches no lácteas sin azúcar
Frutos secos
Jarabe de arce puro
Miel sin refinar
Semillas
Té
Cúrcuma
Copos de coco sin azúcar
Extracto de vainilla

Nosotras preferimos utilizar leche de almendras sin azúcar en las recetas porque tiene un sabor dulce natural y una textura lechosa. Sin embargo, puedes sustituirla por otras leches no lácteas que te gusten, como leche de cáñamo, de arroz, de soja, de linaza, de avellanas, de anacardos o de avena. En este capítulo incluimos una sencilla receta para preparar leche de almendras.

Suplementos

Zumo de aloe vera (favorece la digestión)
Polen de abejas (una mezcla que nos ofrece la Naturaleza
de 18 aminoácidos, 14 minerales, enzimas y todas las

vitaminas del grupo B)

Levadura de cerveza o levadura nutricional (una fuente de proteínas y vitaminas B, inclusive la B_{12}, que refuerza el sistema inmunológico)

Proteínas en polvo sin productos lácteos

Una bebida efervescente en polvo de la marca Emergen-C que se presenta en bolsitas

Lecitina (ayuda a prevenir la acumulación de grasas y colesterol)

Mantequillas de frutos secos (almendras, anacardos, cacahuetes, girasol y soja)

Salvado de avena (una magnífica fuente de fibra que contribuye a reducir el nivel de colesterol en sangre)

Tofu ecológico (una fuente de proteínas no lácteas)

Espirulina (unas microalgas que constituyen una excelente fuente de proteínas, vitaminas B y hierro)

Leche de almendras

Batido de mango y aguacate

Delicias de acai

Smoothie de plátano y polen de abejas

Cremoso smoothie de frutos del bosque

Smoothie de té verde y azul

Smoothie de manzana y caramelo

Smoothie de plátano y algarroba

Smoothie de pera y jengibre

Smoothie de la diosa verde

Sensación de kiwi y honeydew

Smoothie de mango y lima

Sorprendente amanecer en Maui

Explosiva mezcla de frutos del bosque

Batido de plátano y mantequilla de cacahuete

Smoothie de granola de naranja

Melodía de naranja y mango

Smoothie de frambuesa

Smoothie rejuvenecedor de uva roja

Smoothie de fresa y algarroba

Smoothie de fresa y sandía

Potente smoothie de cúrcuma

Batido de sandía

Leche de almendras

Es fácil preparar tu propia leche de almendras, que puedes conservar en el frigorífico dos días. Nosotras creemos que la leche de almendras es lo suficientemente dulce tal cual. Sin embargo, si quieres endulzarla más, añade 1 cucharada de jarabe de arce y ½ cucharadita de extracto de vainilla a la mezcla de leche de almendras. La leche de almendras absorbe los sabores de cualquier cereal o granola con que la mezcles, por lo que no creemos necesario añadirle ningún edulcorante.

Para dos tazas

1 taza de almendras crudas
2 y ¼ tazas de agua
1 bolsa de malla fina de frutos
  secos o una estopilla

1 cucharada de jarabe de arce
  (opcional)
½ cucharadita de extracto de
  vainilla (opcional)

1. Coloca las almendras en un cuenco, cúbrelas con agua (aproximadamente un par dedos sobre las almendras) y déjalas en remojo durante la noche.
2. Escurre las almendras en un colador debajo del chorro de agua fría.
3. Colócalas en una batidora o robot de cocina.
4. Añade 2 tazas de agua. Bate hasta obtener una mezcla homogénea, unos 5 minutos.
5. Coloca la bolsa de frutos secos o la estopilla sobre un cuenco grande.
6. Coloca la mezcla encima de la estopilla y presiona para que el líquido se escurra dentro del cuenco. Utiliza la leche de almendras enseguida o colócala en el frigorífico.

Batido de mango y aguacate

El aguacate y el yogur de coco dan a esta bebida una consistencia cremosa y un sabor delicioso.

Para dos personas

1 taza de mango deshuesado y cortado en dados
1 aguacate maduro, aplastado
240 g de yogur de coco con sabor de vainilla

2 cucharadas de zumo de lima
12 cubitos de hielo

1. Tritura todos los ingredientes en la batidora y sirve enseguida.

Modifica la receta: Si no eres alérgica a los frutos secos, sustituye el yogur de coco con sabor de vainilla por yogur con sabor de leche de almendras o leche de soja.

Delicias de acai

El acai es una pequeña baya que crece en una variedad de palmera en Brasil. Está llena de antioxidantes y fitonutrientes que combaten las enfermedades y es excelente para el cerebro. Algunos describen su sabor como una combinación de vino tinto y chocolate. Los arándanos congelados dan a este smoothie una consistencia helada.

Para una persona

1 taza de leche de almendras sin azúcar
1 taza de arándanos (preferiblemente congelados)

1 plátano
½ taza de puré de bayas de acai congeladas

1. Vierte la leche de almendras y los arándanos en la batidora.
2. Incorpora el plátano y las bayas de acai congeladas.
3. Tritura a máxima velocidad durante unos 15 segundos o hasta obtener una mezcla homogénea.

Modifica la receta: Añade ¼ de taza de kale o espinacas picadas para obtener una porción diaria de verduras.

Smoothie de plátano y polen de abejas

Si congelas los plátanos con antelación obtendrás un smoothie más espeso, pero también puedes prepararlo con plátanos maduros no congelados.

Para 2-4 personas

3 plátanos, congelados
1 y ½ taza de leche de almendras
1 y ½ taza de zumo de piña sin azúcar

1 pizca de nuez moscada molida
1 cucharadita de extracto de vainilla
1 cucharada de polen de abejas
4 cubitos de hielo

1. Tritura todos los ingredientes en la batidora hasta obtener la consistencia que desees. Sirve este smoothie ¡y buen provecho!

Modifica la receta: Añade ¼ de taza de coco rallado sin azúcar.
   Añade 4 galletas clásicas de avena y pasas (página 185) a este smoothie. (Añádelas a la batidora y tritura todos los ingredientes hasta obtener la consistencia deseada.)

Cremoso smoothie de frutos del bosque

Este smoothie contiene semillas de chía, que están llenas de ácidos grasos omega-3 y fibra. El tofu absorbe el sabor de los frutos rojos y añade proteínas a este dulce smoothie. La soja es sometida a un complicado proceso de elaboración y suele estar genéticamente modificada. Por consiguiente, nosotras utilizamos solo productos a base de soja ecológicos.

Para 2 personas

1 taza de fresas
1 taza de arándanos
½ taza de tofu ecológico cortado en dados (de consistencia firme)

1 cucharada de semillas de chía
1 taza de agua
4 cubitos de hielo

1. Tritura todos los ingredientes en la batidora hasta obtener una mezcla homogénea.

Modifica la receta: Sustituye el tofu por ½ taza de anacardos crudos. Sustituye las fresas por moras o frambuesas.

Smoothie de té verde y azul

El té verde descafeinado combinado con los arándanos y la espirulina proporcionan una deliciosa dosis diaria de antioxidantes.

Para 2-4 personas

2 tazas de té verde descafeinado, frío
2 tazas de arándanos congelados
2 plátanos (preferiblemente congelados)
½ taza de espinacas picadas
2 cucharaditas de espirulina en polvo
4 cubitos de hielo

1. Tritura todos los ingredientes hasta obtener una mezcla homogénea.

Smoothie de manzana y caramelo

Los dátiles y las manzanas dan a este smoothie un sabor a «manzana caramelizada», y la avena añade fibra a este delicioso smoothie.

Para 2 personas

⅔ de taza de copos de avena sin gluten, puestos a remojo durante una hora y escurridos para eliminar el agua
½ cucharadita de canela
¼ de cucharadita de nuez moscada
4 dátiles deshuesados
2 cucharadas de anacardos crudos
2 manzanas Fuji ecológicas, troceadas
1 taza de zumo de manzana sin azúcar
1 taza de cubitos de hielo

1. Tritura todos los ingredientes en la batidora hasta obtener una mezcla homogénea.

Modifica la receta: Sustituye los anacardos por 2 cucharadas de semillas de girasol crudas y puestas previamente en remojo.

Smoothie de plátano y algarroba

La algarroba y las almendras forman una combinación dulce llena de fibra y proteínas.

Para 2 personas

1 y ¾ taza de leche de almendras sin azúcar

1 cucharada de algarroba en polvo

2 plátanos maduros (frescos o congelados)

2 cucharadas de jarabe de arce o miel

¼ de taza de almendras

6 cubitos de hielo

1. Vierte la leche de almendras en una taza.
2. Incorpora la algarroba en polvo y remueve hasta que se disuelva.
3. Vierte la leche de almendras y algarroba en la batidora y añade los plátanos, el jarabe de arce o la miel, las almendras y los cubitos de hielo.
4. Tritura todos los ingredientes hasta obtener una mezcla homogénea. Sirve enseguida.

Smoothie de pera y jengibre

Los dátiles tienen un alto contenido en calcio y fibra, y un sabor delicioso. Si no encuentras dátiles frescos puedes utilizar dátiles secos sin sulfitos. Recomendamos que pongas en remojo los dátiles secos (utiliza la misma cantidad de dátiles secos que de dátiles frescos) durante 1 hora antes de triturarlos en la batidora con los otros ingredientes.

Para 2 personas

1 y ½ taza de zumo de pera

2 cucharadas de linaza

1 cucharada de jengibre fresco picado

1 plátano

2 peras, peladas y cortadas en trozos de unos 3 cm de diámetro

½ taza de dátiles picados

4 cubitos de hielo

1. Tritura todos los ingredientes en la batidora hasta obtener una mezcla homogénea. Sirve enseguida.

Smoothie de la diosa verde

La uva y el zumo de manzana dan a esta superbebida verde un agradable dulzor.

Para 4 personas

1 taza de hojas tiernas de espinacas picadas

2 tazas de uvas verdes despepitadas

1 manzana verde mediana, troceada

½ pimiento morrón verde, cortado en dados

2 tazas de zumo de manzana

1 cucharadita de espirulina en polvo (opcional)

1. Tritura todos los ingredientes en la batidora. (La mezcla resultará un tanto pulposa, pero homogénea.)

Modifica la receta: Sustituye las espinacas por lechuga romana o kale.

Sensación de kiwi y honeydew

La menta y la lima hacen que esta bebida sea superrefrescante.

Para 2 personas

2 tazas de melón Honeydew cortado en dados, sin semillas, de unos 3 cm de diámetro

1 y ½ taza de kiwis en dados, pelados, de 1 centímetro de grosor

1 cucharada de zumo de lima

1 cucharada de jarabe de arce

4 hojas de menta fresca, picadas

2 tazas de cubitos de hielo

1. Tritura todos los ingredientes en la batidora hasta obtener una mezcla homogénea.

Modifica la receta: Sustituye el melón Honeydew por melón cantalupo.

Smoothie de mango y lima

Recomendamos que congeles la fruta para dar a este smoothie una textura cremosa y consistente.

Para 1-2 personas

2 cucharadas de zumo de lima

2 plátanos congelados

1 taza de mango congelado, cortado en dados

1 taza de leche de almendras

4 cubitos de hielo

1. Tritura todos los ingredientes en la batidora hasta obtener una mezcla homogénea.

Sorprendente amanecer en Maui

Disfruta de esta bebida tropical en una soleada tarde.

Para 4 personas

1 taza de piña fresca cortada en dados
2 plátanos congelados
1 taza de papaya pelada, despepitada y cortada en dados
2 tazas de mango pelado cortado en dados

1 taza de zumo de piña
½ taza de nueces de macadamia picadas
1 cucharadita de extracto de vainilla
6 cubitos de hielo

1. Tritura todos los ingredientes en la batidora hasta obtener una mezcla homogénea. Sirve enseguida.

Explosiva mezcla de frutos del bosque

El puré de acai realza los sabores de las bayas en esta deliciosa bebida. Encontrarás el puré de acai congelado en la sección de congelados de la mayoría de los supermercados.

Para 2 personas

½ taza de moras frescas
½ taza de arándanos frescos
½ taza de frambuesas frescas
¼ de taza de puré de acai congelado

½ taza de zumo de granada o arándanos
1 y ½ taza de cubitos de hielo

1. Tritura todos los ingredientes en la batidora hasta obtener una mezcla homogénea.

Batido de plátano y mantequilla de cacahuete

La combinación de plátano y mantequilla de cacahuete en este superbatido te chiflará.

Para 1 persona

1 plátano grande congelado
4 cucharadas de mantequilla
   de cacahuete
1 taza de leche de cáñamo o
   leche de almendras

1 cucharada de jarabe de arce
1 taza de harina de linaza

1. Tritura todos los ingredientes en la batidora hasta obtener una mezcla homogénea.

Smoothie de granola de naranja

La granola añade una textura crujiente a esta bebida dulce.

Para 2 personas

1 taza de granola de coco y
   anacardos (página 184)
2 plátanos (preferiblemente
   congelados)

1 taza de zumo de naranja
6 cubitos de hielo

1. Tritura todos los ingredientes en la batidora hasta obtener la consistencia deseada.

Melodía de naranja y mango

El aguacate y las almendras confieren un delicado sabor a este fantástico smoothie.

Para 2 personas

2 tazas de zumo de naranja
1 taza de mango cortado en dados
   (fresco o congelado)
1 aguacate Hass, partido
1 plátano
2 cucharadas de almendras crudas,

puestas en remojo 1 hora como
   mínimo y escurridas
1 cucharada de linaza
6 cubitos de hielo
   (aproximadamente ½ taza)

1. Tritura todos los ingredientes en la batidora hasta obtener una mezcla homogénea. Sirve enseguida.

Smoothie de frambuesa

Los smoothies de bayas son excelentes para el cerebro. Puedes utilizar cualquier tipo de baya para este delicioso smoothie.

Para 1 persona

1 taza de frambuesas (congeladas o frescas)
1 plátano congelado
1 y ½ taza de leche de almendras

1 cucharada de semillas de chía
1 cucharadita de extracto de vainilla
4 cubitos de hielo

1. Tritura todos los ingredientes en la batidora hasta obtener una mezcla homogénea. Sirve enseguida.

Smoothie rejuvenecedor de uva roja

Este smoothie posee los beneficios del resveratrol que se encuentra en las uvas, y la dulzura de la fabulosa fibra que tienen los higos.

Para 2 personas

5 higos medianos frescos
2 tazas de uvas rojas ecológicas, despepitadas
½ taza de lechuga romana picada

2 plátanos (preferiblemente congelados)
1 y ¼ de taza de agua
4 cubitos de hielo

1. Tritura todos los ingredientes en la batidora hasta obtener una mezcla homogénea. Sirve enseguida.

Smoothie de fresa y algarroba

¡Es como beber un batido de fresas recubiertas de chocolate!

Para 2 personas

2 tazas de leche de coco
1 cucharada de aceite de coco

1 taza de fresas frescas (o congeladas)

1 cucharadita de extracto de vainilla   ½ cucharadita de canela
1 plátano   1 taza de cubitos de hielo

1. Tritura todos los ingredientes en la batidora hasta obtener la consistencia deseada. Sirve enseguida.

Smoothie de fresa y sandía

Nos gusta servir este smoothie en la festividad del 4 de Julio, cuando las sandías están en su punto óptimo de dulzor. Sirve este smoothie en copas heladas.

Para 2 personas

1 taza de fresas picadas   1 y ¼ de taza de zumo de uva blanca
2 tazas de sandía despepitada   ½ taza de cubitos de hielo

1. Tritura todos los ingredientes en la batidora hasta obtener una mezcla homogénea. Sirve enseguida.

Potente smoothie de cúrcuma

La cúrcuma, la canela, el coco y las semillas de chía proporcionan a este smoothie una potente mezcla de antioxidantes, y la cúrcuma contribuye a reducir la inflamación en el organismo.

Para 1 persona

1 taza de leche de cáñamo o de   1 cucharada de aceite de coco
   coco   ½ cucharadita de cúrcuma
½ taza de trozos de mango   ½ cucharadita de canela
   congelado   1 cucharadita de semillas de chía
1 plátano (preferiblemente
   congelado)

1. Vierte la leche de cáñamo en la batidora.
2. Incorpora el resto de los ingredientes y bate hasta obtener una mezcla homogénea.

Batido de sandía

La leche de coco da a este sencillo batido un sabor dulce y cremoso.

Para 2 personas

4 tazas de sandía sin semillas troceada

½ taza de leche de coco
½ taza de cubitos de hielo

1. Tritura todos los ingredientes en la batidora hasta obtener la consistencia deseada. Sirve enseguida.

APETITOSOS APERITIVOS

Salsa de tomate y aguacate

Dip de judías negras, chile jalapeño y cilantro

Dip de judías negras y tomates secos

Hummus de zanahoria

Barquitas de apio

Tortilla chips asados con lima y chile

Rodajas de pepino con eneldo

Snack de pepino y perejil

Dip de berenjena y aceitunas

Hummus de habas y menta

Pesto de albahaca fresca

Hummus de pimientos rojos frescos

Dip de berenjena y pimientos rojos con ajo

Puré de patata dorado

Gustoso guacamole

Exquisito hummus

Salsa de mango y chile jalapeño

Bocaditos de lentejas y champiñones con salsa de anacardos y ajo

Salsa de tomate y uvas rojas con cilantro fresco

Simples chips de kale

Taquitos de judías pintas y cheddar vegano

Crema de judías y albahaca fresca

Dip de calabacín y albahaca

Salsa de tomate y aguacate

Los tomates, los granos de maíz y el aguacate fresco dan a esta salsa un delicioso sabor dulce. Prueba esta salsa sobre un lecho de hojas de lechuga o sobre tortilla chips asados con chile y lima. Si quieres darle un toque más picante, incluye las semillas del chile jalapeño.

Para 2 personas (1 taza)

1 taza de granos de maíz cocidos
1 aguacate maduro, pelado y
   cortado en pequeños trozos
2 tomates grandes, sin semillas y
   cortados en dados
1 cebolla, cortada en dados

1 chile jalapeño, picado fino
2 cucharadas de cilantro fresco
¼ de taza de zumo de lima
2 dientes de ajo, picados
1 cucharadita de sal de ajo

1. Combina todos los ingredientes en un cuenco mediano y mézclalos bien.
2. Tapa y deja reposar como mínimo 1 hora antes de servir.

Dip de judías negras, chile jalapeño y cilantro

Los chiles jalapeños frescos añaden un toque picante a este dip de judías. El cilantro combina perfectamente con los chiles en esta deliciosa receta mexicana.

Para 2-4 personas (aproximadamente 1 y ½ taza)

2 dientes de ajo, picados
½ taza de hojas de cilantro sueltas

2 chiles jalapeños picados después
   de retirar las semillas

2 cucharadas de aceite de oliva
  virgen extra
1 bote de 420 g de judías negras,
  escurridas

¼ de taza de zumo de lima
1 cucharadita de sal de ajo

1. Tritura el ajo, las hojas de cilantro, los chiles jalapeños y el aceite de oliva en la batidora unos 20 segundos, o hasta que la mezcla adquiera la consistencia de un puré espeso.
2. Añade las judías, el zumo de lima y la la sal de ajo, y tritura durante otros 20 segundos.
3. Pasa la mezcla a un cuenco y sirve.

Modifica la receta: Sustituye el zumo de lima por zumo de limón. Sustituye las judías negras por garbanzos.

Dip de judías negras y tomates secos

Las judías negras están llenas de fibra, y los tomates secos hacen que este dip resulte delicioso. Nosotras utilizamos judías negras en conserva para ahorrar tiempo. Sin embargo, tú puedes utilizar judías negras recién cocidas. Este dip está muy rico sobre unas tortitas de arroz con rodajas de aguacate.

Para 2 personas (aproximadamente 1 taza)

1 cucharada de aceite de oliva
  virgen extra
3 dientes de ajo, picados
1 cebolla amarilla, cortada en dados
1 bote de 400 g de tomates secos
1 bote de 420 g de judías negras

(o 2 tazas de judías negras
  frescas recién cocidas)
¼ de cucharadita de sal marina
1 cucharadita de comino
¼ de cucharadita de chile en polvo

1. Tritura todos los ingredientes en la batidora hasta obtener una mezcla homogénea. ¡Sirve y buen provecho!

Hummus de zanahoria

Este hummus de color naranja vivo aporta una gran cantidad de vitamina A y antioxidantes saludables para el cerebro. Está delicioso servido con rodajas de pimientos rojos y untado en la parte hueca de unos tallos de apio.

Para 2 personas

1 taza de zanahorias picadas
1 bote de 420 g de garbanzos
orgánicos, escurridos y
enjuagados
¼ de taza de pasta de semillas de
sésamo (tahini)

3 cucharadas de zumo de limón
3 dientes de ajo, picados
½ cucharadita de comino
¼ de cucharadita de sal marina
1 cucharada de perejil fresco,
picado

1. Cuece las zanahorias al vapor aproximadamente 5 minutos o hasta que estén tiernas.
2. Escurre las zanahorias y colócalas en un robot de cocina.
3. Incorpora los garbanzos, el tahini, el zumo de limón, el ajo, el comino y la sal marina, tapa y tritura hasta obtener una mezcla homogénea.
4. Añade el perejil.
5. Coloca la mezcla en el frigorífico como mínimo 1 hora y sirve.

Barquitas de apio

A los niños les encantan estas divertidas barquitas. Es una estupenda forma de que se beneficien del elevado aporte de minerales y vitaminas que contiene el apio. Este añade la cantidad de humedad perfecta cuando consumimos mantequilla de almendras.

Para 4 personas

8 tallos de apio
1 cucharada de canela

¾ de taza de mantequilla de
almendras
½ taza de pasas

1. Corta los tallos de apio por la mitad, formando 16 trozos.
2. Coloca el apio en una fuente con la parte hueca hacia arriba y espolvorea con la canela.
3. Rellena la parte hueca de los tallos con aproximadamente 2 cucharadas de mantequilla de almendras.
4. Adorna los tallos de apio con las pasas.

Modifica la receta: Sustituye la mantequilla de almendras por mantequilla de semillas de girasol, de anacardos o de cacahuetes.

Tortilla chips asados con lima y chile

Estos divertidos y picantes tortilla chips pueden tomarse solos o acompañados de salsa, guacamole o hummus.

Para 2 personas

10 tortillas de maíz
2 cucharadas de aceite de oliva
   virgen extra
2 cucharadas de zumo de lima

1 cucharadita de chile en polvo
1 cucharadita de sal de ajo
Una pizca de pimienta cayena

1. Precalienta el horno a 180 °C.
2. Unta las tortillas con aceite y córtalas en triángulos.
3. Mezcla el zumo de lima, el chile en polvo, la sal de ajo y la pimienta en un cuenco mediano.
4. Pincela cada tortilla chip con la mezcla de zumo de lima.
5. Reduce la temperatura del horno a 120 °C.
6. Hornea los tortilla chips durante 15 minutos o hasta que estén crujientes.

Rodajas de pepino con eneldo

Este snack resulta muy refrescante en verano. En lugar de utilizar un tenedor para comer estas rodajas de pepino marinadas, recomendamos que utilices palillos.

Para 1-2 personas

1 pepino grande, partido
¼ de taza de vinagre de manzana
   de sidra
1 cucharadita de hojas de eneldo
   secas

½ cucharadita de pimienta
   negra molida

1. Coloca las rodajas de pepino en un cuenco poco hondo.
2. Vierte el vinagre sobre las rodajas.
3. Incorpora las hojas de eneldo y la pimienta y remueve.
4. Coloca el cuenco en el frigorífico como mínimo 1 hora y sirve.

Snack de pepino y perejil

Es un divertido snack muy apto para servir en una fiesta como la del 4 de Julio, cuando el maíz y los pepinos están en sazón. Puedes tomarlo solo o servirlo sobre unas tortitas de arroz, con tortilla de chips asados o sobre un lecho de hojas de lechuga. Puedes conservarlo en el frigorífico una semana.

Para 4 personas

5 mazorcas de maíz grandes
1 cebolla amarilla grande, picada fina
⅔ de taza de pepino cortado en dados

¼ de taza de zumo de limón
¼ de taza de aceite de oliva virgen extra
2 cucharadas de perejil picado fino
1 cucharadita de sal marina

1. Descascarilla las mazorcas y retira los hilos de seda.
2. Llena un cocedor de vapor grande con agua y ponla a hervir. Coloca el maíz en el agua y deja que cueza, tapado, 10 minutos.
3. Deja que el maíz se enfríe y extrae los granos de las mazorcas con un cuchillo afilado.
4. En un cuenco mediano, mezcla los granos de maíz con la cebolla y el pepino.
5. Añade el zumo de limón, el aceite de oliva, el perejil y la sal de ajo y remueve. Sirve enseguida o coloca la mezcla en la nevera.

Modifica la receta: Sustituye el pepino por una taza de pepinillos cortados en dados.

Dip de berenjena y aceitunas

Este dip puede servirse sobre unas rodajas de pepino, sobre la parte hueca de unos tallos de apio o untado en unas galletas crackers.

Para 4 personas

1 berenjena grande
8 aceitunas negras deshuesadas
1 taza de tomates cortados en dados
1 cebolla amarilla mediana, picada
2 cucharadas de albahaca fresca picada fina

¼ de taza de vinagre de vino tinto o vinagre de manzana de sidra
2 cucharadas de aceite de oliva virgen extra
2 dientes de ajo, picados
½ cucharadita de ajo en polvo

¼ de cucharadita de orégano
  seco

¼ de cucharadita de pimienta negra
  molida

1. Precalienta el horno a 180 °C.
2. Reduce la temperatura del horno a 120 °C.
3. Hornea la berenjena en una fuente de horno, 1 hora, dándole la vuelta de vez en cuando. Pincha la berenjena con un tenedor para comprobar que esté tierna.
4. Retira la berenjena del horno y deja que se enfríe sobre la fuente.
5. Parte la berenjena a lo largo, extrae la pulpa y colócala en un cuenco grande. Desecha la piel.
6. Coloca la pulpa de berenjena en un robot de cocina y tritura hasta obtener una masa homogénea.
7. Incorpora las aceitunas negras y tritura durante unos segundos.
8. Añade los tomates, la cebolla, la albahaca, el vinagre, el aceite de oliva, el ajo, el ajo en polvo, el orégano y la pimienta negra y remueve.
9. Tapa la mezcla y colócala en la nevera durante 1 hora.

Hummus de habas y menta

Las habas contienen levodopa (L-DOPA), un precursor de las sustancias neuroquímicas cerebrales como la dopamina, la epinefrina y la norepinefrina. La dopamina en el cerebro favorece los movimientos ágiles del cuerpo.

Para 2-4 personas

½ kg de habas frescas (pésalas
  desgranadas) (congeladas
  si no están en sazón)
¼ de cucharadita de sal marina
½ taza de aceite de oliva virgen extra

¼ de taza de menta fresca, picada
  fina
¼ de taza de eneldo fresco
¼ de taza de zumo de limón
  fresco

1. Cuece las habas al vapor en agua hirviendo con un poco de sal, hasta que estén tiernas (aproximadamente 5 minutos).
2. Escúrrelas y sumérgelas en agua helada.
3. Desgrana las habas, pásalas a una batidora o a un robot de cocina y tritúralas hasta obtener un puré espeso. (Si utilizas habas congeladas, sumérgelas en agua fría para descongelarlas y desgránalas. No es necesario que las cuezas y el color será más vivo.)

4. Añade el aceite de oliva, la menta, el eneldo y el zumo de limón.

5. Tritura todos los ingredientes en el robot de cocina o en la batidora hasta obtener una mezcla homogénea.

Pesto de albahaca fresca

Quizá te parezca complicado preparar pesto, pero en realidad es muy sencillo. El pesto tradicional lleva incorporado queso parmesano, pero nosotras lo sustituimos por levadura nutricional. Es delicioso y aporta una elevada cantidad de B_{12}, que es excelente para el cerebro. Este pesto se conserva durante cinco días en el frigorífico. Sírvelo con unas galletas crackers sin gluten o unos palitos vegetales.

Para 2 personas (½ taza)

⅔ de taza de piñones

3 dientes de ajo, picados

¾ de taza de hojas frescas de albahaca

6 cebolletas (las partes blancas y verdes)

¼ de taza de hojas de perejil

2 cucharadas de levadura nutricional

2 cucharadas de zumo de limón fresco

¼ de cucharadita de sal marina

3 cucharadas de aceite de oliva virgen extra

1. Pasa los piñones, el ajo, la albahaca, las cebolletas, la levadura nutricional, el zumo de limón y la sal marina por el robot de cocina hasta que la mezcla quede bien triturada.

2. Con el robot de cocina en marcha, vierte a chorritos el aceite de oliva.

3. Traslada la mezcla a un cuenco pequeño. Sirve a temperatura ambiente.

Modifica la receta: Sustituye los piñones por semillas de girasol o semillas de calabaza.

Hummus de pimientos rojos frescos

Los pimientos rojos están llenos de sabor y vitamina C. Añaden un toque dulce y un maravilloso color a este hummus. Sírvelo con palitos de verduras frescas (zanahorias, apio y/o pimientos), o coloca una cucharada de la mezcla sobre un lecho de endibias y espolvoréalo con páprika.

Para 2-4 personas (1 taza)

1 bote de 420 g de garbanzos

2 cucharadas de tahini

4 cucharadas de aceite de oliva
virgen extra

2 cucharadas de zumo de limón

2 dientes de ajo, picados

1 pimiento rojo, sin semillas, picado

½ cucharadita de sal marina

1. Escurre y enjuaga los garbanzos.
2. Tritura la mitad de los garbanzos, el tahini, el aceite de oliva, el zumo de limón, el ajo, los pimientos y la sal marina en el robot de cocina o la batidora hasta obtener una mezcla homogénea.
3. Añade poco a poco el resto de los garbanzos a través de la abertura en la parte superior del electrodoméstico mientras sigues triturando los ingredientes.

Dip de berenjena y pimientos rojos con ajo

Cuanto más rato dejes que repose este dip, más gustoso está, por lo que recomendamos que lo prepares la noche anterior y lo coloques en el frigorífico. Resulta delicioso sobre unas hojas de endibia, untado en unos tallos de apio o sobre unos chips de maíz asados.

Para 3 tazas

2 berenjenas medianas
(aproximadamente ½ kg,
con la piel, partidas a lo largo)

1 cebolla amarilla mediana, con la
piel, partida por la mitad

1 cucharada de aceite de oliva
virgen extra

6 dientes de ajo grandes

½ taza de pimientos rojos

½ taza de zumo de limón

1 cucharadita de canela

1 cucharadita de sal marina

2 cucharadas de perejil picado, para
adornar

1. Precalienta el horno a 180 °C.
2. Pincela ligeramente los lados cortados de las berenjenas y la cebolla con 1 cucharada de aceite de oliva y colócalas en una fuente de horno, con los lados cortados hacia abajo.
3. Reduce la temperatura del horno a 120 °C.
4. Hornea las berenjenas y la cebolla aproximadamente 1 hora o hasta que estén muy tiernas.
5. Coloca las berenjenas y la cebolla en un colador para escurrir y deja enfriar 15 minutos.

6. Extrae la pulpa de las pieles y colócala en el bol de un robot de cocina.
7. Incorpora la cebolla, los pimientos rojos y el ajo.
8. Tritura los ingredientes hasta obtener una mezcla homogénea.
9. Añade el zumo de limón, la canela y la sal marina, y remueve.
10. Coloca el dip en un pequeño cuenco y adorna con el perejil.

Puré de patata dorado

Puedes prescindir de la mantequilla pero no del sabor. Este puré de patatas puede servirse como guarnición o sobre unas hojas de lechuga adornado con aceitunas. Las patatas yukón doradas son ideales para esta receta, porque le dan una textura cremosa.

Para 2-4 personas

8 patatas yukón grandes, peladas y cortadas en trozos de unos 3 cm de diámetro
1 taza de agua
1 taza de leche de almendras
¼ de taza de aceite de oliva virgen extra

1 cucharadita de sal de ajo
1 cucharadita de sal marina
⅛ de cucharadita de nuez moscada
4 cebolletas, picadas fina
1 pizca de páprika

1. Cuece las patatas al vapor con agua en una cazuela grande durante unos 20 minutos o hasta que estén tiernas.
2. Utiliza un pasapurés o un tenedor grande para aplastarlas.
3. Coloca las patatas de nuevo en la cazuela.
4. En un pequeño cazo, calienta la leche de almendras a fuego medio suave hasta que esté tibia, unos 3 minutos.
5. Añade la leche tibia al puré de patatas y remueve.
6. Incorpora el aceite de oliva, remueve y calienta la mezcla a fuego lento y mantén el calor.
7. Añade la sal de ajo, la sal marina y la nuez moscada. Sigue removiendo los ingredientes a fuego lento durante otro minuto.
8. Espolvorea las cebolletas y la páprika sobre el puré de patatas y sirve caliente.

Gustoso guacamole

Este guacamole está delicioso sobre tortilla chips, tortitas de arroz, galletas crackers o un lecho de hojas de lechuga. Nosotras procuramos no añadir sal a ninguna de las recetas, pero creemos que una mínima cantidad de sal marina realza el sabor de este guacamole.

Para 2-4 personas

3 aguacates maduros, aplastados (reserva el hueso)
1 tomate cortado en dados
1 cebolla cortada en dados
3 cucharadas de zumo de limón
1 cucharadita de sal marina
2 cebolletas verdes, picadas fina

1. Coloca la pulpa del aguacate en un cuenco grande.
2. Aplástala con un tenedor.
3. Añade el tomate, la cebolla, el zumo de limón, la sal marina y las cebolletas y remueve bien. Sirve enseguida o colócalo en el frigorífico en un recipiente hermético y deposita el hueso del aguacate en el centro para conservar el color.

Modifica la receta: Sustituye el zumo de limón por zumo de lima para darle un sabor dulce. Añade ¼ de taza de salsa picante al guacamole para darle un toque picante y otra textura.

Exquisito hummus

El hummus vegetariano es un snack saludable y apetitoso. La textura y color naturales están llenos de proteínas, fibra, vitaminas y minerales. Puedes degustarlo con chips de pita o como relleno en tortillas sin gluten.

Para 4 tazas

½ taza de mantequilla de semillas de sésamo tostadas (tahini)
¼ de taza de agua tibia
¼ de taza de aceite de oliva virgen extra
⅛ de taza de zumo de limón
2 botes de 420 g de garbanzos (aproximadamente 2 tazas), escurridos y enjuagados
3 dientes de ajo picados
1 cucharadita de comino molido
¼ de cucharadita de pimienta negra
½ cucharadita de sal marina

1. Tritura la mantequilla de semillas de sésamo, el agua, el aceite de oliva y el zumo de limón en una batidora o un robot de cocina durante 30 segundos.
2. Incorpora los garbanzos, una taza a la vez, y mezcla bien.
3. Añade el ajo, el comino, la pimienta negra y la sal marina.
4. Tritura otros 10 segundos. Tapa y coloca en el frigorífico hasta servir.

Modifica la receta: Añade 2 cucharadas de semillas de salva fresca. La salva forma parte de la familia de semillas de chía. Es una fuente natural de ácidos grasos omega-3 y contiene ocho veces más omega-3 que el salmón y cuatro veces más que la linaza. Los ácidos grasos omega-3 desempeñan un papel crucial en la función cerebral y la salud del corazón. La linaza añade un agradable sabor a nueces y aporta también un alto contenido en omega-3.

Sustituye el aceite de oliva por aceite de semillas de sésamo para obtener un sabor a nueces.

Salsa de mango y chile jalapeño

El mango da un sabor dulce y el chile jalapeño un toque picante a esta salsa, muy fácil de preparar. Está deliciosa servida fría y puede conservarse en el frigorífico cinco días.

Para 2-4 personas (2 tazas)

6 tomates rojos medianos, sin semillas y cortados en dados
1 cebolla roja mediana, cortada en dados
2 mangos, cortados en dados
¼ de taza de vinagre de vino tinto o vinagre de manzana de sidra

2 chiles jalapeños, sin semillas y picados
½ taza de cilantro fresco, picado
1 cucharadita de pimienta cayena

1. Combina todos los ingredientes en un cuenco grande. Sirve enseguida o colócalo en el frigorífico cinco días.

Bocaditos de lentejas y champiñones con salsa de anacardos y ajo

Estos divertidos bocaditos de lentejas y champiñones deben comerse pinchándolos con un palillo y mojándolos en una salsa de anacardos y ajo. Puedes hacer unas bolas más grandes con la masa para formar unas hamburguesas vegetarianas. Prepara la salsa para los bocaditos mientras estos se hacen en el horno.

Para 30 bolas

Para los bocaditos:

2 y ½ tazas de lentejas cocidas
¼ de taza de champiñones laminados
¼ de taza de salsa picante
2 cucharadas de harina de avena
2 dientes de ajo, picados

1 cucharada de levadura nutricional
1 cucharadita de curry en polvo
1 cucharadita de sal marina
1 cucharada de aceite de oliva virgen extra

Para la salsa:

½ taza de anacardos crudos, puestos en remojo como mínimo 4 horas
⅓ de taza de agua
2 dientes de ajo, picados

2 cucharadas de aceite de oliva virgen extra
4 cucharadas de zumo de limón
2 cebolletas, picadas
½ cucharadita de sal marina

1. Precalienta el horno a 180 °C.
2. Unta ligeramente con aceite una fuente de horno y reserva.
3. Tritura las lentejas, los champiñones, la salsa picante, la harina de avena, el ajo y la levadura nutricional en una batidora o un robot de cocina durante unos 15 segundos, o hasta obtener una mezcla bastante homogénea.
4. Pásala a un cuenco grande.
5. Incorpora el curry en polvo y la sal, y remueve.
6. Añade el aceite y mézclalo todo bien.
7. Forma con la masa unas bolas de unos 3 centímetros de diámetro y disponlas sobre la fuente de horno.
8. Reduce la temperatura del horno a 120 °C.
9. Hornea durante 30 minutos.
10. Enjuaga bien los anacardos y colócalos en el robot de cocina.

11. Añade el agua, el ajo, el aceite de oliva, el zumo de limón, las cebolletas y la sal marina.
12. Tritura hasta obtener una mezcla cremosa.
14. Moja los bocaditos de lentejas calientes en la salsa y ¡buen provecho!

Salsa de tomate y uvas rojas con cilantro fresco

Esta salsa de sabor dulce está deliciosa sobre unas hojas de lechuga o tortilla de chips asadas y unas rodajas de aguacate.

Para 2-4 personas

4 tomates, sin semillas y partidos
1 taza de uvas sin semillas, partidas por la mitad
1 cebolla roja, cortada en dados
2 cucharadas de hojas de cilantro fresco

2 cucharadas de zumo de lima
2 dientes de ajo, picados
1 cucharadita de sal marina
1 cucharadita de salsa picante

1. Coloca los tomates, las uvas, la cebolla y las hojas de cilantro en un cuenco.
2. Añade el zumo de limón, el ajo, la sal marina y la salsa picante y remueve.
3. Coloca en el frigorífico como mínimo 30 minutos. (Cuanto más tiempo repose esta mezcla, más intensos serán los sabores.)

Simples chips de kale

El kale aporta una elevada cantidad de vitaminas K, A y C. Es una forma apetitosa de conseguir que los niños coman verduras.

Para 6 personas

450 g de kale (un manojo grande), lavado, sin el tallo y partido en trozos de unos 3 cm

3 cucharadas de aceite de oliva virgen extra
1 cucharadita de sal marina

1. Precalienta el horno a 180 °C.
2. Coloca el kale en un cuenco grande y reserva.
3. Bate el aceite y la sal.

4. Vierte el aceite sobre el kale y mezcla bien.
5. Dispón el kale en una fuente de horno en una sola capa (en caso necesario, en varias tandas).
6. Reduce la temperatura del horno a 120 °C.
7. Coloca la fuente en una bandeja en el centro del horno y hornea durante 10 minutos.
8. Remueve los chips con una espátula y hornea otros 5 minutos, hasta que estén crujientes. Sirve caliente o a temperatura ambiente.

Modifica la receta: Espolvorea chile en polvo y ajo en polvo sobre los chips.

Taquitos de judías pintas y cheddar vegano

Estos taquitos asados constituyen unos apetitos fingers que gustarán a todos. Puedes utilizar judías refritas sin grasa o prepararlas tú y aplastarlas para formar una pasta.

1 bote de 450 g de judías refritas
¾ de taza de queso cheddar vegano
1 cucharada de zumo de lima
3 cucharadas de chiles poco picantes, cortados en dados (opcional)

24 tortillas de maíz
4 cucharadas de aceite de oliva virgen extra
Salsa picante y/o guacamole, para mojar los taquitos

1. Precalienta el horno a 180 °C.
2. En un cuenco mediano, mezcla las judías, el queso vegano, los chiles y el zumo de lima.
3. Calienta las tortillas en una sartén grande, de una en una, aproximadamente 2 minutos o hasta que estén blandas y dúctiles.
4. Corta las tortillas por la mitad.
5. Unta un lado de cada tortilla con aceite de oliva y colócala en un plato poco hondo.
6. En el lado seco de la tortilla, coloca aproximadamente 1 cucharada de la mezcla de judías y enróllala formando un cilindro.
7. Repite la operación hasta que hayas rellenado y enrollado todas las tortillas.
8. Coloca las tortillas enrolladas en una hilera en una fuente de horno engrasada.
9. Coloca las tortillas rellenas en el horno y reduce la temperatura a 120 °C.

10. Hornea durante unos 15 minutos.
11. Da la vuelta a los taquitos y hornea otros 10 minutos. Sírvelos calientes con salsa y guacamole.

Modifica la receta: Sustituye las judías pintas por judías negras.

Crema de judías y albahaca fresca

La albahaca y el ajo dan a esta crema un sabor ideal para untarla en galletas crackers o palitos vegetales. Esta crema resulta deliciosa untada sobre tallos de apio u hojas de endibia con una pizca de páprika espolvoreada encima.

Para 2 personas

1 bote de 420 g de judías blancas, enjuagadas y escurridas
4 dientes de ajo, pelados y picados
½ taza de aceite de oliva virgen extra
6 hojas de albahaca fresca, picadas (aproximadamente 3 tazas)
¾ de cucharadita de sal marina
¼ de cucharadita de pimienta negra molida
2 cebolletas, cortadas en rodajas finas (para adornar)

1. Coloca las judías en un robot de cocina y tritura durante 30 segundos o hasta obtener una mezcla homogénea.
2. Añade el ajo, el aceite, la albahaca, la sal marina y la pimienta negra molida y tritura durante unos 15 segundos. Utiliza una cuchara para comprobar que la mezcla sea homogénea.
3. Coloca la crema en un cuenco pequeño y adorna espolvoreando las cebolletas por encima. Sirve a temperatura ambiente o fría.

Dip de calabacín y albahaca

La calabaza y la albahaca confieren a este dip un color verde intenso. (A veces los dips que contienen solo aguacates adquieren un color pardo.) Este dip está delicioso con tiras de pimientos morrones rojos y coliflor cruda.

Para 2-4 personas

2 calabacines grandes, rallados
4 cebolletas, cortadas en rodajas finas
2 aguacates Hass
1 cucharada de perejil fresco, picado

2 cucharadas de albahaca picada
3 dientes de ajo, picados
2 cucharadas de aceite de oliva
virgen extra

2 cucharadas de zumo de limón
3 cucharadas de nueces, picadas
1 cucharadita de sal marina

1. Coloca todos los ingredientes en la batidora y tritura hasta obtener una mezcla homogénea.

Modifica la receta: Sustituye las nueces por pecanas.

GUSTOSAS GUARNICIONES

Espárragos con piñones y albahaca fresca

Exquisitos latkes de patata veganos

Ramilletes de coliflor al horno

Coles de Bruselas con mostaza de Dijon

Cazuela de judías verdes

Calabaza Butternut con pecanas, pasas de Corinto y jarabe de arce

Champiñones, patatas y nueces con albahaca

Quinoa con tomates y nueces

Bocaditos de patatas rojas con queso

Judías con champiñones, avellanas y salvia

Fideos de soba con zumo de naranja y sésamo

zanahorias glaseadas

Champiñones Portobello rellenos de tomate y piñones

Patatas fritas de ñames y boniatos al horno

Espárragos con piñones y albahaca fresca

Solemos consumir productos de temporada porque están en su mejor momento en cuanto a sabor y nutrientes. Nos gusta utilizar las verduras primaverales, entre ellas los espárragos. Este plato frío constituye una guarnición ideal.

Para 2 personas

½ kg de espárragos, sin la parte inferior y cortados en diagonal en discos de aproximadamente 1 cm
2 cucharadas de aceite de sésamo
2 cucharadas de vinagre de manzana de sidra

1 cucharada de jarabe de arce puro
¼ de taza de albahaca fresca picada
½ cucharadita de hierbas italianas secas
2 cucharadas de piñones, para adornar

1. Coloca los espárragos en agua hirviendo y cuece durante 2 minutos.
2. Escúrrelos y sécalos enseguida con papel de cocina.
3. Coloca los espárragos en un cuenco mediano.
4. En un pequeño cuenco mezcla el aceite, el vinagre, el jarabe de arce, la albahaca y las hierbas italianas.
5. Vierte la mezcla de aceite y vinagre sobre los espárragos y mezcla bien.
6. Coloca los espárragos en la nevera durante 1 hora como mínimo. Adorna con los piñones.

Modifica la receta: Sustituye los piñones por semillas de sésamo o linaza.

Exquisitos latkes de patata veganos

Tradicionalmente, los latkes de patata, conocidos también como tortitas de patata, están hechos con harina de matzá (elaborada a partir de harina de trigo) y huevos. Sin embargo, estos son igual de gustosos y más saludables. Los latkes de patata pueden servirse con compota de manzana sin azúcar, nata agria vegana o salsa de tomate casera.

Para 12 tortitas

2 patatas rojas, peladas y ralladas
1 cebolla amarilla mediana, rallada
4 cucharadas de harina de avena o harina de arroz integral

1 cucharadita de sal marina
⅛ de cucharadita de pimienta negra
2 cucharadas de aceite de oliva virgen extra

1. Precalienta el horno a 180 °C.

2. Coloca las patatas ralladas sobre un trapo o un papel de cocina y aplástalas para eliminar todo el líquido que puedas y dejarlas tan secas como sea posible.

3. En un cuenco grande, mezcla las patatas, las cebollas, la harina de avena, la sal marina y la pimienta.

4. Toma unas 3 cucharadas de la masa en la mano, forma una tortita circular de unos 8 × 8 centímetros de diámetro, colócala en una fuente de galletas engrasada y aplástala ligeramente.

5. Repite la operación con el resto de la masa.

6. Reduce la temperatura del horno a 120 °C.

7. Hornea las tortitas 20 minutos por cada lado, utilizando una espátula para darles la vuelta. Sírvelas calientes.

Ramilletes de coliflor al horno

Esta es una forma diferente y divertida de comer coliflor. La coliflor forma parte de la familia de crucíferas y aporta unos nutrientes que previenen el cáncer, así como un alto contenido de vitamina C.

Para 4 personas

1 coliflor
2 cucharadas de aceite de oliva
   virgen extra
2 cucharadas de zumo de limón
2 cucharaditas de mostaza de Dijon

1 cucharadita de sal marina
4 dientes de ajo, picados
2 cucharadas de levadura
   nutricional

1. Precalienta el horno a 180 °C.

2. Separa la coliflor en ramilletes pequeños y colócalos en un cuenco mediano.

3. En otro cuenco mediano, bate el aceite de oliva, el zumo de limón, la mostaza de Dijon, la sal marina, el ajo picado y la levadura nutricional.

4. Vierte el aliño de aceite y limón sobre la coliflor y mezcla bien.

5. Dispón los ramilletes en una fuente de horno.

6. Reduce la temperatura del horno a 120 °C.

7. Hornea los ramilletes de coliflor 30 minutos. Sirve caliente.

Coles de Bruselas con mostaza de Dijon

La mostaza de Dijon y el jarabe de arce añaden un equilibrio perfecto de salado y dulce a las coles de Bruselas.

Para 4 personas

2 cucharadas de aceite de oliva virgen extra

2 dientes de ajo, picados

2 cucharadas de mostaza de Dijon

3 cucharadas de jarabe de arce

½ cucharadita de sal marina

¼ de cucharadita de pimienta negra molida

4 tazas de coles de Bruselas, eliminando los extremos y cortándolas por la mitad a lo largo

⅔ de taza de almendras laminadas

1. Precalienta el horno a 180 °C.
2. En un cuenco pequeño, mezcla bien el aceite, el ajo, la mostaza de Dijon, el jarabe de arce, la sal marina y la pimienta.
3. En un cuenco mediano, coloca las coles de Bruselas y vierte por encima el aliño de mostaza de Dijon.
4. Remueve las coles de Bruselas y deja reposar.
5. Coloca las coles de Bruselas en una sola capa en una fuente de horno engrasada.
6. Reduce la temperatura del horno a 120 °C.
7. Hornea las coles de Bruselas durante unos 30-35 minutos. Sirve enseguida.

Cazuela de judías verdes

Esta cazuela es uno de nuestros platos vegetarianos más apreciados el día de Acción de Gracias. Para ahorrar tiempo, puedes utilizar judías verdes en conserva, aunque es preferible que sean frescas.

Para 4 personas

¼ de taza de aceite de oliva virgen extra

¼ de taza de harina de arroz integral

1 y ½ taza de caldo de caldo de verduras clásico (páginas 160-161)

1 cucharadita de sal marina

¼ de cucharadita de pimienta negra

1 cucharadita de ajo en polvo
2 dientes de ajo, picados
¼ de taza de levadura nutricional
2 botes de 400 g de judías verdes,
escurridas (o 2 tazas de judías verdes frescas)
½ taza de almendras, laminadas

1. Precalienta el horno a 180 °C.
2. En una sartén mediana, calienta el aceite de oliva a fuego lento.
3. Incorpora la harina y remueve continuamente durante unos 2 minutos.
4. Añade el caldo de verduras, la sal marina, la pimienta negra, el ajo en polvo y el ajo picado, removiendo constantemente durante 2 minutos, hasta obtener una salsa espesa y burbujeante.
5. Añade la levadura nutricional y remueve hasta obtener una mezcla homogénea.
6. Vierte la salsa en una pequeña cazuela, añade las judías verdes y remueve para mezclarlo todo bien.
7. Reduce la temperatura del horno a 120 °C.
8. Hornea durante 15 minutos.
9. Espolvorea con las almendras laminadas y sirve caliente.

Modifica la receta: Sustituye las almendras por avellanas o piñones.

Calabaza Butternut con pecanas, pasas de Corinto y jarabe de arce

El jarabe de arce puro, las pecanas y las pasas confieren un sabor dulce y sensacional a la calabaza Butternut.

Para 4 personas

¼ de taza de jarabe de arce puro
2 cucharadas de aceite de oliva virgen extra
½ cucharadita de sal marina
1 cucharadita de canela
1 cucharadita de tomillo, seco
1 calabaza Butternut mediana, pelada y cortada en dados
⅓ de taza de pasas de Corinto
⅔ de taza de nueces pecanas picadas gruesas

1. Precalienta el horno a 180 °C.
2. Engrasa ligeramente una fuente de horno con aceite.
3. En un cuenco mediano, mezcla el jarabe de arce, el aceite de oliva, la sal marina, la canela y el tomillo.

4. Incorpora la calabaza y mezcla bien.
5. Dispón la calabaza sobre la fuente de horno en una sola capa.
6. Reduce la temperatura del horno a 120 °C.
7. Hornea 50 minutos o hasta que la calabaza esté tierna.
8. Retira la calabaza y colócala en una bandeja.
9. Espolvorea las pasas de Corinto y las pecanas por encima y sirve.

Champiñones, patatas y nueces con albahaca

El ajo, el aceite de oliva virgen extra y la albahaca dan a este plato un sabor italiano. Las nueces añaden un toque crujiente y un gustoso sabor a las patatas. Está delicioso servido caliente o frío.

Para 4 personas

2 cucharadas + 3 cucharadas de aceite de oliva virgen extra
3 patatas rojas grandes, cortadas en rodajas finas
½ cucharadita de sal marina
4 dientes de ajo, picados

½ cucharadita de albahaca seca
12 champiñones medianos, blancos o marrones, cortados en rodajas finas
½ taza de nueces picadas muy menudas

1. Precalienta el horno a 180 °C.
2. Vierte 2 cucharadas de aceite de oliva en el fondo de una fuente de horno cuadrada de 25 centímetros de lado. Inclina la fuente para distribuir el aceite de modo uniforme.
3. Dispón las patatas cortadas en rodajas finas en el fondo de la fuente.
4. Espolvorea la mitad de la sal marina, el ajo y la albahaca sobre las patatas.
5. Coloca los champiñones y las nueces sobre las patatas y el condimento.
6. Vierte las 3 cucharadas restantes del aceite de oliva sobre los champiñones y las nueces.
7. Espolvorea el resto del ajo, la sal marina y la albahaca sobre los champiñones.
8. Reduce la temperatura del horno a 120 °C.
9. Hornea 40 minutos. Sirve caliente.

Quinoa con tomates y nueces

La textura ligera y cremosa de la quinoa combinada con el dulzor de los tomates y el delicioso sabor de las nueces hacen que esta guarnición resulte muy gustosa.

Para 4-6 personas

2 tazas de quinoa
4 tazas de agua
⅔ de taza de aceitunas picadas
1 taza de cebolletas picadas muy menudas
2 tallos de apio, cortados en dados
⅓ de taza de pimiento morrón rojo, cortado en dados
12 tomates pera

2 cucharadas de perejil picado fino
4 cucharadas de aceite de oliva virgen extra
4 cucharadas de vinagre de manzana de sidra
2 dientes de ajo, picados
½ cucharadita de sal marina
⅔ de taza de nueces picadas

1. Enjuaga la quinoa con agua fría y cuélala.
2. Llena una cazuela con 4 tazas de agua, lleva a ebullición y añade la quinoa. Baja el fuego.
3. Deja cocer unos 20 minutos, o hasta que la quinoa haya absorbido el agua.
4. Coloca la quinoa en un cuenco grande.
5. Incorpora las aceitunas, las cebolletas, el pimiento morrón, los tomates y el perejil, y remueve.
6. En un cuenco pequeño, bate el aceite de oliva, el vinagre, el ajo y la sal marina.
7. Añade la mezcla de aceite de oliva y vinagre a la quinoa y remueve.
8. Espolvorea las nueces por encima y sirve.

Bocaditos de patatas rojas con queso

Estos bocaditos de patata están muy ricos mojados en kétchup ecológico o envueltos en hojas de lechuga.

Para 4 personas

9 kg de patatas rojas
2 cebollas amarillas medianas, picadas menudas

3 cucharadas de perejil picado
4 cucharadas de harina de arroz integral

2 dientes de ajo, picados   2 cucharadas de agua
1 cucharadita de sal marina   ½ queso cheddar vegano

1. Precalienta el horno a 180 °C.
2. Cuece las patatas al vapor con la piel 30 minutos (hasta que estén muy tiernas).
3. Corta las patatas en dados y colócalas en la batidora.
4. Añade las cebollas, el perejil, la harina, el ajo, la sal marina y el agua.
5. Tritura hasta obtener una mezcla homogénea.
6. Coloca la mezcla en un cuenco mediano, añade el queso cheddar vegano y remueve.
7. Toma una cucharada grande de la mezcla y forma una bola.
8. Colócala en una fuente de horno ligeramente engrasada con aceite.
9. Repite la operación con el resto de la masa.
10. Reduce la temperatura del horno a 120 °C.
11. Hornea 25 minutos. Sirve caliente.

Judías con champiñones, avellanas y salvia

La salvia fresca da un delicado toque al sabor intenso y cremoso de las judías blancas. Este plato está muy rico solo o con queso mozzarella vegano fundido por encima. Para esta receta puedes utilizar judías en conserva, o ponerlas en remojo la noche anterior y cocerlas luego 2 horas. Para la salsa de tomate, utiliza tu salsa marinara favorita o una salsa rápida y fácil.

Para 2-4 personas

1 taza de champiñones blancos picados   3 dientes de ajo, picados
2 tazas de judías, escogidas y enjuagadas   1 taza de salsa de tomate
2 cucharadas de salvia fresca   ¼ de cucharadita de pimienta negra molida
2 tallos de apio, cortados en dados   ½ cucharada de nueces
1 cebolla amarilla pequeña, cortada en dados

1. Cuece los champiñones, las judías, la salvia, el apio, el ajo, la salsa de tomate y la pimienta negra en una cazuela mediana a fuego lento unos 15 minutos, removiendo de vez en cuando.
2. Añade las nueces y sirve caliente.

Fideos de soba con zumo de naranja y sésamo

El zumo de naranja combinado con el vinagre balsámico confiere a esta receta un sabor dulce y ácido a la vez.

Para 2 personas

225 g de fideos de alforfón (fideos de soba)
¼ de taza de aceite de oliva virgen extra
¼ de taza de vinagre balsámico
⅓ de taza de zumo de naranja
2 naranjas peladas partidas en gajos

2 dientes de ajo, picados
1 cebolla roja mediana, picada
¼ de cucharadita de pimienta negra
¼ de cucharadita de canela
¼ de taza de semillas de sésamo
2 cucharaditas de granos de anís triturados (opcional)

1. Cuece los fideos según las instrucciones del paquete.
2. Escurre los fideos debajo del chorro de agua fría y colócalos en un cuenco grande.
3. Añade el aceite de oliva, el vinagre, el zumo de naranja, las naranjas, el ajo, la cebolla, la pimienta negra, la canela, las semillas de sésamo y los granos de anís a los fideos y remueve bien. Sirve.

Zanahorias dulcemente glaseadas

Añadir miel a las zanahorias cocidas al vapor realza su sabor dulce natural. Este es un snack sencillo y espectacular.

Para 2 personas

2 tazas de zanahorias picadas
2 cucharadas de miel
1 cucharadita de sal marina

1 cucharada de eneldo fresco picado (o ½ cucharadita de eneldo seco)

1. Cuece las zanahorias al vapor unos 10 minutos en una cazuela mediana.
2. Coloca las zanahorias cocidas al vapor en un cuenco.
3. Incorpora la miel, la sal marina y el eneldo.
4. Remueve y sirve

Modifica la receta: Sustituye la miel por jarabe de arce puro (para convertirlo en un plato vegano).

Champiñones Portobello rellenos de tomate y piñones

El relleno de tomate otorga un toque dulce y delicioso a estos champiñones Portobello.

Para 6 personas

¾ de taza de tomates picados
4 cucharadas de aceite de oliva virgen extra, divididas
1 cucharadita de orégano fresco picado fino
¼ de cucharadita de pimienta negra molida
4 dientes de ajo, picados
3 cucharadas de zumo de limón natural
1 cucharada de vinagre balsámico
6 champiñones Portobello (12-15 cm de diámetro), retirando los tallos y las láminas
1 cucharada de albahaca fresca picada
½ taza de piñones tostados

1. Precalienta el horno a 180 °C.
2. En un cuenco pequeño, mezcla los tomates, 1 cucharadita de aceite de oliva, el orégano, la pimienta y el ajo.
3. En otro cuenco pequeño, bate el resto del aceite de oliva, el zumo de limón y el vinagre.
4. Con un pincel de repostería, unta ambos lados de los sombreretes de los champiñones con la mezcla de zumo de limón.
5. Coloca los champiñones, con los tallos hacia abajo, en una fuente de horno engrasada.
6. Reduce la temperatura del horno a 120 °C.
7. Hornea 12 minutos.
8. Rellena cada champiñón con la mezcla de tomate y hornea otros 5 minutos.
9. Espolvorea con el orégano y los piñones y sirve.

Patatas fritas de ñames y boniatos al horno

Los ñames y los boniatos constituyen unas coloridas patatas fritas que gustan a los niños y a los mayores. ¿Quién iba a decir que las patatas fritas podían ser saludables?

Para 4 personas

½ kg de ñames, pelados y cortados en
  tiras de 1 y ½ centímetro de grosor
½ kg de boniatos, pelados
  y cortados en tiras de 1 y ½
  centímetro de grosor

1 cucharada de miel
1 cucharadita de canela
3 cucharadas de aceite de oliva
  virgen extra

1. Precalienta el horno a 180 °C.
2. Mezcla los ñames y los boniatos en un cuenco con la miel, la canela y el aceite de oliva.
3. Coloca en una fuente de horno en una sola capa.
4. Reduce la temperatura del horno a 120 °C.
5. Hornea 20 minutos.
6. Deja enfriar y sirve

Modifica la receta: Sustituye los ñames y los boniatos por patatas rojas. Sustituye la canela y la miel por sal de ajo (espolvoreada por encima).

EXCEPCIONALES ENTRANTES

Cazuela de macarrones y albahaca

Hamburguesas de judías y pimientos morrones

Apetitosos tacos de judías

Curry de garbanzos y coco

Espaguetis al limón con albahaca fresca

Espirales con piñones, jengibre y menta

Receta Italiana de berenjenas al horno

Maravillosos macarrones con queso y coliflor

La pizza de la abuela

Masa perfecta para pizza

Salsa fácil y rápida para pizza

Cazuela de polenta y aguacate

Polenta con calabaza bellota y nueces

Hamburguesas de judías pintas

Versión rápida de macarrones con queso

Pasta de quinoa con champiñones y espárragos

Hamburguesas de quinoa con nueces

Suculento guiso de verduras

Pasta primavera

Chile de boniato

Espaguetis de hebras de calabaza con tomate y champiñones

Lo Mein vegano

Sushi supremo vegano

Tacos de nueces envueltos en hojas de lechuga romana

Cazuela de macarrones y albahaca

Este plato preparado al horno es parecido a la lasaña. Puede servirse caliente o frío.

Para 4 personas

4 tazas de agua

2 tazas de pasta corta en forma tubular (tipo macarrones) sin gluten

2 cucharadas de aceite de oliva virgen extra

1 taza de champiñones picados

¼ de taza de apio cortado en dados

1 cebolla amarilla, picada

3 dientes de ajo, picados

1 taza de salsa de tomate

3 cucharadas de albahaca fresca picada (o 1 cucharada de albahaca seca)

2 tazas (un paquete de 225 g) de queso mozzarella vegano

1. Precalienta el horno a 180 °C.
2. Pon agua a hervir en una cacerola grande.
3. Añade la pasta y lleva a ebullición.
4. Baja el fuego y cuece la pasta 12-15 minutos. (Sigue las instrucciones del paquete porque la pasta sin gluten cocida en exceso suele quedar blanda.)
5. Escurre la pasta debajo del chorro de agua fría y colócala en un cuenco grande.

6. Añade el aceite de oliva, los champiñones, el apio, la cebolla y el ajo a la pasta y remueve.
7. Incorpora la salsa de tomate, la albahaca y 1 y ¾ de taza de queso mozzarella vegano.
8. Coloca la mezcla en una fuente de horno de 15 × 20 centímetros.
9. Espolvorea el resto del queso mozzarella vegano por encima.
10. Reduce la temperatura del horno a 120 °C.
11. Hornea 35 minutos.

Modifica la receta: Añade ½ taza de guisantes y brócoli picado. Sustituye la salsa de tomate por la sopa que prefieras.

Hamburguesas de judías y pimientos morrones

La combinación de cilantro y comino da a estas apetitosas hamburguesas un sabor cálido y terroso. Puedes preparar esta mezcla con antelación y conservarla en el frigorífico 24 horas.

Para 4 hamburguesas

1 taza de aceite de oliva virgen extra
¼ de taza de pimiento rojo cortado en dados
6 cebolletas cortadas en rodajas
1 apio picado
2 dientes de ajo pelados y partidos en cuartos

1 bote de 420 g de judías negras
1 cucharada de cilantro fresco picado
¼ de taza de harina de avena
1 cucharada de comino
½ cucharadita de sal marina

1. Precalienta el horno a 180 °C.
2. En una sartén grande, calienta el aceite de oliva, el pimiento morrón, las cebolletas, el apio y el ajo 2 minutos a fuego lento.
3. Enjuaga las judías negras con agua.
4. Tritura las judías en el robot de cocina o la batidora aproximadamente 45 segundos.
5. Añade la mezcla de verduras y el cilantro y tritura otros 15 segundos. (Puedes detener la batidora en cualquier momento y remover la mezcla con una cuchara para distribuir los ingredientes. Las verduras en la mezcla deben tener aún un aspecto transparente y no estar completamente trituradas.)
6. Pasa la mezcla de judías a un cuenco grande.

7. Añade la harina de avena, el comino y la sal marina, y remueve.
8. Forma unas hamburguesas de unos 8 × 8 centímetros y disponlas en una fuente de horno engrasada.
9. Reduce la temperatura del horno a 120 °C.
10. Hornea cada lado de las hamburguesas unos 10 minutos.

Apetitosos tacos de judías

Esos gustosos tacos están rellenos de maíz dulce y judías negras que aportan un alto contenido en fibra.

Para 4 tacos

1 taza de judías negras cocidas
1 taza de granos de maíz cocidos (preferiblemente frescos)
½ taza de salsa
2 dientes de ajo, picados
1 cebolla roja pequeña, cortada en dados
¼ de taza de cilantro, picado

1 cucharadita de comino
¼ de cucharadita de pimienta negra
⅛ de cucharadita de pimienta cayena
4 tortillas de maíz
½ taza de lechuga romana, picada
½ taza de aceitunas negras partidas

1. Precalienta el horno a 180 °C.
2. En una cacerola mediana, calienta las judías, el maíz, el ajo, las cebollas, el cilantro, el comino, la pimienta negra y la pimienta cayena unos 5 minutos a fuego lento, removiendo.
3. Coloca las tortillas en una fuente de horno.
4. Reduce la temperatura del horno a 120 °C.
5. Hornea unos 10 minutos, o hasta que las tortillas estén lo bastante blandas para doblarlas.
6. Rellena cada tortilla con 2 cucharadas de la mezcla de judías.
7. Añade a cada tortilla la cantidad que desees de lechuga y aceitunas negras. Sirve caliente.

Curry de garbanzos y coco

Este plato de garbanzos está muy rico con coliflor fresca o cocida al vapor.

Para 8-10 personas

1 bote de 420 g de leche de coco
4 tazas de agua
2 tazas de arroz basmati
4 dientes de ajo, picados
1 taza de zanahorias picadas muy menudas
1 patata roja mediana, cortada en dados pequeños
1 bote de 420 g de garbanzos, enjuagados y escurridos
1 taza de maíz fresco (o congelado)
1 taza de guisantes frescos (o congelados)
3 cucharadas de curry en polvo
1 cucharada de salsa de soja sin gluten
¼ de taza de zumo de lima
3 cucharadas de cilantro fresco picado fino

1. En una cacerola grande coloca la leche de coco, el agua, el arroz basmati, el ajo, las zanahorias picadas, los dados de patatas, los garbanzos y las habas. Lleva a ebullición y baja el fuego para que los ingredientes cuezan suavemente.
2. Cuece unos 20 minutos.
3. Incorpora el curry, la salsa de soja, el zumo de lima y el cilantro, y remueve.
4. Prosigue con la cocción otros 5 minutos y sirve caliente.

Espaguetis al limón con albahaca fresca

El aceite de oliva virgen extra, el limón y la albahaca forman una combinación de sabores perfecta que realza esta receta de espaguetis.

Para 8-10 personas

½ kg de espaguetis de arroz (u otros tipo de espaguetis sin gluten)
¾ de taza de aceite de oliva virgen extra, dividida
1 cebolla amarilla, cortada en dados
6 dientes de ajo, pelados y picados finos
1 taza de champiñones picados
¼ de taza de albahaca fresca picada
2 cucharadas de piel de limón rallada (unos 4 limones)
1 cucharadita de sal marina
2 cucharadas de zumo de limón natural
½ taza de queso mozzarella vegano

1. Llena una cacerola grande de agua y lleva a ebullición a fuego vivo.
2. Añade los espaguetis y cuece, removiendo a menudo para que no se peguen, unos 12 minutos o hasta que estén tiernos pero firmes.

3. Escurre los espaguetis.
4. Pon a calentar una sartén grande y pesada a fuego lento.
5. Rehoga en ½ taza de aceite la cebolla y el ajo unos 30 segundos o hasta que el aceite absorba los aromas.
6. Añade los champiñones y la albahaca, y remueve.
7. Incorpora la ralladura de limón y la sal marina.
8. Añade los espaguetis y el ¼ de taza de aceite restante, y remueve bien.
9. Añade el zumo de limón y, a continuación, la mitad del queso vegano.
10. Reparte la pasta en cuatro bols de pasta.
11. Espolvorea el resto del queso por encima y sirve.

Espirales con piñones, jengibre y menta

La menta y el jengibre añaden un sabor intenso y refrescante a este plato de pasta. Los piñones le dan el perfecto toque dulce y delicado.

Para 4-6 personas

450 g de espirales de pasta de arroz integral u otro tipo de pasta sin gluten que prefieras

¼ de taza de aceite de oliva virgen extra

¼ de taza de cebolletas picadas

2 dientes de ajo, partidos por la mitad

¼ de taza de hojas de menta picadas

1 cucharada de jengibre fresco cortado en dados (o 1 cucharadita de jengibre seco)

½ taza de zumo de limón

1 cucharadita de sal marina

½ taza de piñones

1. Cuece la pasta según las instrucciones del paquete.
2. Escurre la pasta y colócala de nuevo en la cacerola.
3. Pasa por la batidora o el robot de cocina el aceite, las cebolletas, el ajo, las hojas de menta, el jengibre y el zumo de limón, y tritura hasta obtener una salsa homogénea.
4. Vierte la salsa sobre la pasta en la cacerola y calienta 5 minutos.
5. Añade la sal y sigue removiendo la mezcla mientras cuece.
6. Espolvorea con los piñones y sirve caliente.

Modifica la receta: Sustituye la pasta de arroz por fideos de soba.

Receta italiana de berenjenas al horno

Si espolvoreas las berenjenas con sal antes de cocinarlas extraerás la humedad de la verdura y realzarás su sabor, en especial de las berenjenas de mayor tamaño porque tienen más semillas.

Para 4 personas

2 berenjenas medianas
½ cucharadita de sal marina
2 rebanadas de pan de arroz
2 cucharadas de leche de
   almendras
4 dientes de ajo, picados
1 cucharada de alcaparras picadas
1 manojo de perejil
   (aproximadamente ½ taza)

½ taza de aceitunas negras sin
   hueso
2 cucharadas de aceite de oliva
   virgen extra
2 tomates medianos, cortados en
   dados
1 cucharadita de orégano
½ cucharadita de pimienta negra
   molida

1. Precalienta el horno a 180 °C.
2. Parte las berenjenas por la mitad, hazles un corte en diagonal, sálalas y déjalas reposar 1 hora.
3. Remoja el pan en la leche de almendras.
4. Lava y seca con un papel de cocina las berenjenas partidas por la mitad y colócalas en una fuente de horno.
5. En el robot de cocina, tritura el ajo, las alcaparras, el perejil, las aceitunas y el pan hasta obtener una mezcla bastante homogénea.
6. Añade el aceite de oliva.
7. Distribuye la mezcla sobre las mitades de berenjena.
8. Dispón los dados de tomate sobre las berenjenas.
9. Espolvorea el orégano y la pimienta negra por encima de los tomates.
10. Reduce la temperatura del horno a 120 °C.
11. Hornea durante 1 hora y sirve caliente.

Maravillosos macarrones con queso y coliflor

La colina que contiene la coliflor ayuda a mejorar la función de aprendizaje y cognitiva. Esta superverdura crucífera aporta un sabor delicioso a este plato de macarrones con queso vegano. (Si quieres ahorrar tiempo, consulta la Versión rápida de macarrones con queso en la página 118).

Para 4 personas

4 tazas de macarrones sin gluten
1 y ½ taza de coliflor, picada
⅓ de taza de aceite de oliva virgen extra
⅓ de taza de agua
1 cucharada de zumo de limón

½ taza de levadura nutricional
2 dientes de ajo, picados
½ cucharadita de sal marina
¼ de cucharadita de pimienta negra
Una pizca de páprika

1. Cuece la pasta según las instrucciones del paquete.
2. Escurre la pasta debajo del chorro de agua fría y reserva.
3. Cuece la coliflor al vapor unos 7 minutos o hasta que esté tierna.
4. Escurre la coliflor.
5. Tritura bien la coliflor escurrida en un robot de cocina.
6. Incorpora el aceite, el agua, el zumo de limón, la levadura nutricional, el ajo, la sal marina y la pimienta, y tritura bien.
7. Coloca la salsa en una cazuela grande.
8. Añade la pasta cocida y calienta a fuego medio suave unos 5 minutos, removiendo con frecuencia.
9. Adorna con una pizca de páprika y sirve caliente.

Modifica la receta: Añade ½ taza de brócoli cocido al vapor a la salsa y pásalo por la batidora. Añade ½ taza de queso parmesano vegano antes de servir.

La pizza de la abuela

La masa de esta pizza sin gluten es tan perfecta, que no echarás de menos el trigo. A nosotras nos encanta utilizar la Salsa fácil y rápida para pizza, puesto que es una receta familiar creada por nuestra abuela Giovanna, alias la Abuela. Tú puedes utilizar la Salsa fácil y rápida para pizza, un simple pesto de albahaca o incluso unas gotas de aceite de oliva como base. Nosotras preferimos utilizar verduras, legumbres, hierbas y condimentos frescos en nuestra pizza. A continuación proponemos algunas excelentes guarniciones para pizza.

Corazones de alcachofa
Puntas de espárragos
Aguacates
Albahaca

Pimientos morrones (de todos los colores)
Judías negras

Ramilletes de brócoli
Alcaparras
Tomates cherry
Garbanzos

Berenjena	Aceitunas	Espinacas
Hinojo	Cebollas	Tomates secos
Ajo	Orégano	Tomates
Kale	Romero	Calabacín
Champiñones	Cebolletas	

La masa perfecta para pizza

Cuando disuelvas la levadura en la mezcla de agua y miel, debería burbujear y hacer espuma al cabo de 1 minuto aproximadamente. En caso contrario, la levadura no es buena. Deséchala y empieza de nuevo con otra levadura. Si recubres la masa con aceite impedirás que se seque. (Puedes utilizar el mismo cuenco que utilizaste para mezclar los ingredientes sin limpiarlo previamente.)

Para 4 bases finas (unos círculos de 25 cm)

2 y ¼ de tazas de levadura seca activa (un paquete de 8 g)
1 y ½ taza de agua tibia (no caliente), dividida
1 cucharadita de miel
2 cucharadas de aceite de oliva virgen extra
1 y ½ cucharadita de hierbas italianas secas
1 cucharadita de sal marina
2 tazas de harina de arroz integral
1 y ½ taza de harina de tapioca

1. Disuelve la levadura en una taza o cuenco pequeño con ½ taza de agua tibia y miel.
2. Traslada la levadura disuelta a un cuenco grande junto con el resto del agua tibia, el aceite, las hierbas italianas y la sal.
3. Remueve bien con una cuchara de madera.
4. Añade 1 taza de harina de arroz integral y remueve bien.
5. Sigue removiendo mientras incorporas el resto de la harina de arroz integral y la harina de tapioca. Cuando la masa esté demasiado compacta para removerla y empiece a despegarse de los lados del cuenco, ha llegado el momento de que comiences a trabajarla.
6. Coloca la masa (que estará pegajosa) sobre una superficie limpia espolvoreada con harina de arroz.
7. Trabájala 4 o 5 minutos, mientras sigues espolvoreando harina por encima hasta que la masa quede bien trabada y no esté pegajosa.
8. Coloca la masa en un cuenco grande, bien engrasado, y dale la vuelta para que la parte superior quede cubierta de aceite.

9. Tapa el cuenco con un trapo limpio y húmedo o con filme transparente.
10. Colócalo en un lugar cálido durante unos 30 minutos, o hasta que la masa doble su volumen.
11. Precalienta el horno a 180 °C.
12. Unta ligeramente una fuente de horno con aceite y reserva.
13. Aplasta la masa para reducir su volumen, dóblala unas cuantas veces y deja que repose 1 minuto.
14. Divide la masa en cuatro porciones iguales y forma unas bolas.
15. Coloca cada bola entre unas hojas de papel encerado y extiende con el rodillo para formar unos círculos de unos 25 centímetros de diámetro y ½ centímetro de grosor. Pellizca los bordes con los dedos para levantarlos un poco.
16. Reduce la temperatura del horno a 120 °C.
17. Coloca los círculos sobre la fuente de horno preparada y hornea 10-15 minutos.
18. Retira del horno, añade la guarnición que prefieras y coloca de nuevo en el horno otros 15-20 minutos, o hasta que la parte inferior de la base esté dorada.

Modifica la receta: Para que quede más crujiente, espolvorea la fuente de horno engrasada con un puñado de harina de maíz antes de añadir la masa.

Si la masa queda un poco suelta y no aumenta de volumen tanto como debería, sustituye la combinación de harina de arroz integral y harina de tapioca por harina de avena.

Para una pizza con un toque mexicano, dispón la salsa y el aderezo sobre unas tortillas sin gluten.

Dispón la salsa y el aderezo sobre unos champiñones Portobello grandes a los que previamente has quitado el sombrerete.

Salsa fácil y rápida para pizza

Nuestra abuela utilizaba esta sencilla salsa de tomate para la pizza y todos los platos de pasta. Cuanto más tiempo cueza a fuego lento, más espesa será y menos ácido será su sabor. Si no la utilizas enseguida, puedes conservarla en el frigorífico en un recipiente hermético una semana o congelada hasta seis meses.

Para aproximadamente 4 tazas

3 cucharadas de aceite de oliva virgen extra

1 cebolla amarilla mediana, cortada en dados

1 diente de ajo, picado

1 bote de 800 g de puré de tomate

1 bote de 750 g de tomate triturado

1 cucharada de miel (o jarabe de arce)

1 cucharada de hierbas italianas secas

1 cucharada de albahaca seca

½ cucharadita de sal marina

1. Calienta el aceite en un cazo grande a fuego lento.
2. Añade la cebolla y el ajo, y rehoga durante menos de 5 minutos.
3. Añade el resto de los ingredientes y remueve bien.
4. Sube el fuego a medio vivo y lleva la salsa a ebullición.
5. Baja el fuego y deja que repose, sin tapar, removiendo con frecuencia, 30 minutos como mínimo o hasta que la salsa adquiera la consistencia deseada.

Cazuela de polenta y aguacate

Este plato mexicano siempre tiene éxito en nuestras reuniones familiares. Encontrarás la polenta en la sección refrigerada o en las estanterías del supermercado. Puedes utilizar cualquier tipo de polenta.

Para 10-12 personas

2 cucharadas de aceite de oliva virgen extra

1 cebolla mediana, picada (aproximadamente ½ taza)

1 pimiento morrón rojo mediano, picado

4 dientes de ajo, picados

1 bote de 420 g de judías negras, enjuagadas y escurridas

1 y ½ taza de tomates cortados en dados

1 taza de salsa picante

3 cucharadas de chile en polvo

1 cucharada de comino molido

¼ de cucharadita de pimienta cayena

2 tubos de 450 g de polenta cocida

2 tazas de queso cheddar no lácteo (nosotras utilizamos Daiya Cheddar Shreds)

¼ de taza de cilantro fresco picado

2 aguacates Hass maduros, cortados a rodajas

1. Precalienta el horno a 180 °C.
2. Vierte el aceite en una sartén mediana.
3. Rehoga la cebolla, el pimiento morrón y el ajo en el aceite a fuego lento durante menos de 5 minutos.
4. Añade las judías, los tomates, la salsa picante, el chile en polvo, el comino y la pimienta cayena, y rehoga unos 10 minutos, removiendo constantemente.
5. Engrasa una fuente de horno rectangular de ½ litro.
6. Corta un tubo de polenta en dados de 1 centímetro y reparte de forma uniforme en la fuente de horno preparada.
7. Parte por la mitad el segundo tubo de polenta a lo largo y corta en rodajas de 1 centímetro. Reserva.
8. Espolvorea 1 taza de queso sobre la polenta en la fuente de horno.
9. Cubre con la mezcla de judías.
10. Dispón la polenta cortada en rodajas sobre la mezcla de judías.
11. Espolvorea el queso por encima.
12. Reduce la temperatura del horno a 120 °C.
13. Hornea 45 minutos y espolvorea con el cilantro.
14. Deja reposar unos 10 minutos antes de servir.
15. Dispón las rodajas de aguacate sobre la cazuela antes de servir.

Polenta con calabaza bellota y nueces

La calabaza bellota aporta un elevado contenido en ácido fólico, que contribuye a mantener la salud cerebral.

Para 2 personas

2 calabazas bellota medianas, partidas por la mitad y sin semillas
2 cucharadas de aceite de coco, divididas
1 cebolla amarilla, picada
2 dientes de ajo, picados
¼ de taza de apio cortado en rodajas
3 tazas de leche de almendras
1 taza de polenta
1 taza de nueces picadas
1 cucharadita de pimienta negra
1 cucharadita de salvia
½ cucharadita de tomillo
½ cucharadita de romero
¼ de cucharadita de sal marina

1. Precalienta el horno a 180 °C.
2. Unta ligeramente la calabaza con 1 cucharada de aceite de coco y colócala con la parte cortada hacia abajo en una fuente de horno engrasada.

3. Reduce la temperatura del horno a 120 °C.
4. Hornea la calabaza 45 minutos o hasta que esté tierna.
5. Mientras la calabaza se hornea, prepara el relleno de polenta colocando la cucharada restante de aceite de coco en una cazuela mediana.
6. Añade las cebollas, el ajo y el apio y cuece a fuego lento unos 3 minutos.
7. Incorpora la leche de almendras y la polenta.
8. Sube el fuego a medio bajo si dejar de remover los ingredientes.
9. Cuece unos 15 minutos mientras la mezcla empieza a espesarse.
10. Retira del fuego e incorpora las nueces, la pimienta negra, la salvia, el tomillo, el romero y la sal marina.
11. Saca la calabaza del horno y dale la vuelta para que el lado cortado quede hacia arriba.
12. Rellena cada mitad con la misma cantidad de la mezcla de polenta.
13. Coloca de nueve en el horno y hornea durante otros 15 minutos. Sirve caliente.

Modifica la receta: Sustituye la leche de almendras por una cantidad equivalente de leche de coco.

Sustituye las nueces por semillas de girasol o de calabaza.

Espolvorea queso parmesano o mozzarella no lácteo sobre cada calabaza antes de servir.

Hamburguesas de judías pintas

Estas deliciosas hamburguesas veganas están muy ricas envueltas en una hoja de lechuga grande con tomate, cebolla roja y alcaparras, o desmenuzadas sobre una ensalada.

Para 10 hamburguesas

2 tazas de judías pintas cocidas, enjuagadas y escurridas (en conserva o frescas)
¼ de taza de harina de arroz integral
1 cebolla amarilla, cortada en dados
2 apios, cortados en dados
½ taza de champiñones picados
½ taza de semillas de girasol
2 dientes de ajo, picados
1 cucharada de comino
¼ de cucharadita de jengibre (opcional)
1 cucharadita de sal marina

1. Precalienta el horno a 180 °C.
2. Tritura las judías pintas en un robot de cocina aproximadamente 40 segundos, o hasta obtener una mezcla homogénea.
3. Añade la harina de arroz, la cebolla, el apio, los champiñones, las semillas de girasol, el ajo, el comino, el jengibre y la sal.
4. Tritura hasta obtener una mezcla espesa.
5. Toma pequeñas cantidades de la mezcla y forma unas hamburguesas de 5 × 8 centímetros de diámetro y 1 centímetro de grosor.
6. Coloca las hamburguesas en una fuente de horno ligeramente engrasada.
7. Reduce la temperatura del horno a 120 °C.
8. Hornea las hamburguesas 15 minutos por cada lado y sírvelas calientes o a temperatura ambiente.

Versión rápida de macarrones con queso

Estos macarrones con queso pueden conservarse en el frigorífico cinco días.

Para 2-4 personas

225 g (aproximadamente 3 tazas) de pasta de arroz en forma tubular
2 cucharadas de margarina vegana
1 cucharada de aceite de oliva virgen extra
1 cucharada de levadura nutricional
⅛ de cucharadita de pimienta negra molida
1 taza de leche de almendras
2 tazas de queso cheddar vegano
Páprika para adornar

1. Cuece la pasta según las instrucciones del paquete.
2. Escurre la pasta debajo del chorro de agua fría y reserva.
3. En un cazo mediano, derrite la margarina vegana a fuego lento.
4. Añade el aceite, la levadura, la pimienta negra, la leche de almendras y el queso cheddar hasta que el queso se derrita y obtengas una salsa emulsionada. (No dejes que la salsa se queme.)
5. Coloca de nuevo la pasta a la cacerola grande.
6. Incorpora la salsa de queso y remueve a fuego lento.
7. Espolvorea la páprika por encima y sirve.

Modifica la receta: Sustituye la pasta de arroz por pasta sin gluten, por ejemplo pasta de quinoa.

Pasta de quinoa con champiñones y espárragos

La pasta de quinoa absorbe el intenso sabor de los champiñones y las especias en este suculento plato. A menudo la pasta de quinoa se elabora con arroz o maíz. Nosotras preferimos la pasta de quinoa con arroz porque la textura es más suave.

Para 2 personas

225 g de espirales de quinoa
2 tazas de champiñones, picados
225 g de espárragos, limpios
  y cortados en trozos de
  5 cm
1 taza de guisantes frescos o
  congelados
1 cebolla roja mediana, cortada en
  rodajas finas

3 dientes de ajo, picados
2 cucharadas de aceite de oliva
  virgen extra
1 cucharadita de sal marina
1 cucharada de albahaca fresca
  picada (o 1 cucharadita de
  albahaca seca)

1. Prepara la pasta de quinoa según las instrucciones del paquete.
2. Escurre debajo del chorro de agua fría y reserva.
3. En una sartén grande, rehoga los champiñones, los espárragos, los guisantes, las cebollas, el ajo y el aceite a fuego lento unos 5 minutos, sin dejar de remover.
4. Incorpora la pasta de quinoa a las hortalizas y deja que siga cocinándose a fuego lento aproximadamente 3 minutos.
5. Añade la sal y la albahaca y sirve caliente.

Hamburguesas de quinoa con nueces

Estas hamburguesas están muy ricas solas, sobre en un bollo sin gluten o sobre una hoja de lechuga aderezada con alcaparras, tomate, cebolla roja, queso cheddar vegano y aguacate.

Para 8 hamburguesas

¾ de taza de agua
½ taza de quinoa sin cocer
1 apio, cortado en rodajas
3 dientes de ajo, pelados y partidos
  en cuartos

6 cebolletas, cortadas en rodajas
1 bote de 420 g de judías negras,
  escurridas y enjuagadas (o 2 tazas
  de judías negras cocidas)
½ taza de nueces, picadas

1 cucharada de comino	½ cucharadita de sal marina
¼ de cucharadita de curry	¼ de cucharadita de pimienta negra

1. Precalienta el horno a 180 °C.
2. Vierte el agua en un cazo y lleva a ebullición.
3. Añade la quinoa, tapa y baja el fuego para que todo cueza suavemente.
4. Deja cocer hasta que el líquido se absorba, aproximadamente 15 minutos, y reserva.
5. En un robot de cocina, tritura el apio, las cebolletas y el ajo unos 20 segundos.
6. Añade la quinoa cocida, las judías, las nueces, el comino, el curry, la sal y la pimienta negra, y tritura hasta obtener una mezcla espesa.
7. Toma unas bolas de masa y forma unas hamburguesas de unos 10 centímetros.
8. Coloca las hamburguesas en una fuente de horno engrasada.
9. Reduce la temperatura del horno a 120 °C.
10. Hornea durante 10-15 minutos por ambos lados.

Suculento guiso de verduras

Ese espeso y sustancioso guiso está delicioso con picatostes de pan sin gluten y queso vegano espolvoreado por encima

Para 4-6 personas

1 cucharada de aceite de oliva virgen extra	3 patatas rojas medianas, cortadas en trozos de 1 cm (aproximadamente 2 y ½ taza)
1 cebolla amarilla grande, partida en cuartos y cortada en rodajas	2 tazas de judías blancas cocidas
3 dientes de ajo, picados	1 bote de 420 g de salsa de tomate (aproximadamente 2 tazas)
1 taza de zanahorias cortadas en rodajas de ½ cm	1 cucharadita de tomillo seco
1 taza de apio picado	1 hoja de laurel
2 y ½ tazas de champiñones picados	1 cucharadita de sal marina
½ taza de agua	¼ de cucharadita de curry en polvo
4 tomates medianos, cortados en dados	1 cucharadita de albahaca seca
	3 cucharadas de harina de avena

1. Calienta el aceite en una cazuela grande.
2. Añade las cebollas, el ajo, las zanahorias, el apio y los champiñones.

3. Cuece aproximadamente 3 minutos, removiendo a menudo,
4. Incorpora el agua, los tomates, las patatas, las judías, la salsa de tomate, el tomillo, la hoja de laurel, la sal marina, el curry en polvo y la albahaca.
5. Remueve 5 minutos a fuego medio suave.
6. Tapa, baja el fuego y deja que cueza suavemente 10 minutos.
7. Desecha la hoja de laurel. Sirve caliente.

Pasta primavera

Haciendo honor a su nombre, este plato se beneficia de las mejores hortalizas primaverales.

Para 4 personas

4 tazas de tulipanes de arroz
¼ de taza de aceite de oliva virgen extra
6 dientes de ajo, picados
2 zanahorias grandes, cortadas al sesgo en rodajas de ½ cm
4 cebolletas, picadas
1 pimiento rojo morrón mediano, cortado en dados de 1 cm
10 tallos de espárragos delgados, cortados en rodajas de 1 cm

½ taza de albahaca fresca
1 tomate grande troceado
1 cucharada de hierbas secas italianas
1 cucharadita de sal marina
1 cucharadita de pimienta negra molida
¼ de taza de almendras laminadas

1. Coloca la pasta en un cuenco grande y reserva.
2. En una sartén grande, rehoga en el aceite de oliva, el ajo, las zanahorias, las cebolletas, el pimiento morrón y los espárragos a fuego medio suave durante 3 minutos sin dejar de remover.
3. Mezcla las hortalizas con la pasta.
4. Añade los tomates, las hierbas italianas, la sal marina, el pimiento morrón y las almendras. Mezcla bien y sirve.

Modifica la receta: Espolvorea ½ taza de queso parmesano vegano sobre la pasta antes de servir.

Chile de boniato

Este chile puede prepararse con judías negras o judías rojas. Está delicioso con pan de maíz sin gluten.

Para 4 personas

4 cucharadas de aceite de oliva virgen extra
1 boniato grande, pelado y cortado en dados
1 cebolla grande, cortada en dados
1 zanahoria grande, cortada en dados
4 dientes de ajo, picados
2 cucharadas de chile en polvo
1 cucharada de comino
1 cucharadita de sal marina
1 taza de agua
2 botes de 420 g de judías pintas, enjuagadas
1 taza de tomates troceados
1 taza de salsa de tomate
⅓ de taza de cilantro fresco, picado
¼ de taza de zumo de limón natural

1. En una sartén grande, rehoga en el aceite el boniato, la cebolla y las zanahorias a fuego medio suave hasta que la cebolla esté tierna pero no se dore, aproximadamente 2 minutos.
2. Añade el ajo, el chile en polvo, el comino y la sal marina.
3. Deja que la mezcla siga cocinándose a fuego bajo unos 20 segundos, sin dejar de remover.
4. Incorpora el agua y lleva a ebullición.
5. Tapa, baja el fuego y deja que cueza hasta que el boniato esté tierno.
6. Incorpora las judías, los tomates, la salsa de tomate, el cilantro y el zumo de limón.
7. Deja que la mezcla cueza a fuego bajo unos 5 minutos. Sirve caliente.

Espaguetis de hebras de calabaza con tomate y champiñones

La Naturaleza nos ofrece una variedad de calabaza denominada «espagueti» para que preparemos unos divertidos y gustosos espaguetis vegetales sin gluten.

Para 2 personas

1 calabaza «espagueti» mediana
2 cucharadas de aceite de oliva virgen extra
1 cebolla amarilla picada
3 dientes de ajo picados
1 taza de champiñones picados

1 bote de 420 g de tomates italianos (o 2 tazas de tomates Roma troceados)

1 cucharada de albahaca picada

1. Precalienta el horno a 180 °C.
2. Corta la calabaza por la mitad, practica unos agujeros y extrae las semillas.
3. Llena una fuente de horno con aproximadamente 1 centímetro de agua.
4. Coloca la calabaza en la fuente, boca arriba.
5. Reduce la temperatura del horno a 120 °C.
6. Hornea 1 hora.
7. En una sartén grande, rehoga en el aceite la cebolla, el ajo, los champiñones, los tomates y la albahaca a fuego lento unos 8 minutos, removiendo constantemente.
8. Cuando la calabaza esté tierna, separa con un tenedor las hebras de la piel.
9. Divide las hebras por la mitad en dos platos.
10. Divide la salsa, vertiéndola sobre cada plato de hebras de calabaza.

Modifica la receta: Espolvorea queso parmesano o mozzarella vegana por encima antes de servir.

Lo Mein vegano

Para este plato de inspiración asiática utilizamos una salsa de soja sin soja y verduras picadas para darle un auténtico sabor asiático. Siempre utilizamos salsas sin alcohol y sin trigo. La mayoría de las tiendas de alimentos dietéticos venden salsa de soja sin soja, y también puedes comprarla online. Puedes preparar esta receta con arroz ecológico o soba (alforfón), y la salsa de soja de coco es una buena opción para la salsa de soja sin soja. Si puedes adquirir jengibre fresco, utiliza 1 cucharada picado en lugar de jengibre seco.

Para 2-4 personas

225 g de espaguetis sin gluten
¾ de taza de caldo de verduras
2 cucharadas de salsa de soja sin soja

1 cucharada de jarabe de arce
1 cucharada de arrurruz
½ cucharadita de escamas de pimiento rojo

1 cucharada de aceite de oliva virgen extra
½ taza de tirabeques, partidos en rodajas
½ taza de pimiento morrón rojo, cortado en rodajas finas
1 taza de brotes de judías mungo

6 cebolletas picadas
4 dientes de ajo, picados
1 cucharada de jengibre
2 cucharadas de semillas de sésamo tostadas o semillas de cáñamo (opcional)

1. Cuece la pasta según las instrucciones del paquete.
2. Escurre la pasta debajo del chorro de agua fría y reserva.
3. En un cuenco mediano, mezcla el caldo, la salsa de soja sin soja y el jarabe de arce, y remueve bien.
4. Añade el arrurruz y las escamas de pimiento rojo y reserva.
5. En una sartén grande, rehoga en el aceite los tirabeques, el pimiento morrón rojo, los brotes y las cebolletas a fuego medio suave durante unos 4 minutos.
6. Incorpora el ajo y el jengibre y cuece durante otros 2 minutos, removiendo bien.
7. Incorpora la pasta y la mezcla de caldo, y deja que cueza unos 4 minutos.
8. Traslada a una bandeja y espolvorea por encima las semillas de sésamo tostado o semillas de cáñamo.

Sushi vegano supremo

El wasabi pertenece a la familia de las *Brassicaceae* (por favor, no nos pidas que pronunciemos esta palabra), que comprende coles, el rábano picante y la mostaza. Lo llaman el rábano picante japonés, aunque el rábano picante es una planta distinta que a menudo es utilizada como sustituto del wasabi. La planta crece de forma natural en los ríos de los valles fluviales en las montañas de Japón. Las láminas de nori se hacen con unas algas que a menudo son denominadas «la reserva de vitaminas» debido a su elevado contenido vitamínico. El nori no solo contiene tanto hierro como un huevo, sino que es una excelente fuente de ácidos grasos omega-3. Si tus rollos de nori no permanecen enrollados, prueba a «sellar» la juntura con un poco de jarabe de arce. Para enrollar las láminas de nori con facilidad e impedir que se rompan, utiliza una económica esterilla de bambú para el sushi (que venden en mercados de productos japoneses y muchas tiendas de alimentos dietéticos).

Para 6 personas (rollos)

6 tazas de agua
3 tazas de arroz integral de grano corto
3 cucharadas de jarabe de arce
⅔ taza de vinagre de vino de arroz
1 pepino mediano sin semillas y cortado en juliana
1 calabacín pequeño cortado en juliana

½ pimiento verde morrón sin semillas y cortado en juliana
2 zanahorias medianas cortadas en juliana
1 paquete de láminas de nori pretostadas (láminas de algas)
Pasta de wasabi preparada

1. Lleva el agua a ebullición.
2. Añade el arroz, baja el fuego y deja cocer suavemente 40 minutos, removiendo de vez en cuando.
3. Deja que el arroz se enfríe y coloca en un cuenco grande.
4. Incorpora el jarabe de arce y el vinagre.
5. Cuece al vapor el pepino, el calabacín, el pimiento morrón y las zanahorias en una cacerola grande aproximadamente 5 minutos.
6. Deja que se enfríe a temperatura ambiente.
7. Extiende la primera lámina de nori.
8. Coloca un puñado de arroz en el centro de la lámina, humedécete las manos con agua y presiona el arroz con suavidad (aunque firmeza) hacia los bordes de la lámina de forma que quede una capa delgada en una línea sobre la lámina.
9. Extiende un poco de pasta de wasabi sobre el arroz, aproximadamente a 4 centímetros de un borde de la lámina de nori.
10. Dispón las tiras de verduras paralelas al wasabi en una anchura de aproximadamente 2 y ½ centímetros a lo largo de la línea de wasabi.
11. Enrolla con cuidado el borde más cercano sobre las verduras, y enrolla la lámina de nori con delicadeza pero con firmeza.
12. Cierra el borde de la lámina nori humedeciéndola.
13. Cuando hayas enrollado por la lámina de nori por completo, córtala en 6 trozos y colócalos en una bandeja.
14. Repite con las láminas de nori restantes.

Modifica la receta: Añade aguacate.

Tacos de nueces envueltos en hojas de lechuga romana

Las nueces aportan un alto contenido en ácidos grasos omega-3, por lo que constituyen un excelente «alimento para el cerebro». Estas increíbles nueces combinadas con el comino y el ajo dan un gustoso sabor a estos tacos crudos veganos.

Para 2 personas

2 tazas de nueces
¼ de cucharadita de comino
1 cucharada de vinagre balsámico
⅛ de cucharadita de páprika
⅛ cucharadita de orégano
⅛ de cucharadita de pimienta negra molida
⅛ de cucharadita de ajo en polvo

1 cucharada de salsa de soja sin trigo o salsa «de soja» de coco
2 dientes de ajo, picados
6 hojas grandes de lechuga romana
1 aguacate Hass troceado
½ taza de tomates cortados en dados
4 cebolletas cortadas en rodajas finas

1. Pasa las nueces, el comino, el vinagre, la páprika, el orégano, la pimienta negra, el ajo en polvo, la sala de soja y los ajos por el robot de cocina unas ocho veces, hasta que la mezcla quede triturada pero no excesivamente homogénea.
2. Reparte la mezcla de nueces de forma uniforme sobre las hojas de lechuga.
3. Decora con el aguacate, los tomates y las cebolletas.

Modifica la receta: Añade 6 aceitunas picadas a cada taco.
Espolvorea queso cheddar vegano sobre cada taco.
Sustituye el aguacate por 1 cucharada de guacamole sobre cada taco.
Vierte salsa picante sobre cada taco.

ESPECTACULARES ENSALADAS

Ensalada de manzana con arándanos rojos y semillas de calabaza
Ensalada de aguacate, pomelo y rúcula
Ensalada de hojas baby de espinacas y peras con avellanas
Judías carillas y tomates con vinagreta de limón

Ensalada de arroz negro y mango con nueces
Brócoli con pasas y almendras laminadas
Ensalada César con piñones
Ensalada de arroz y aceitunas negras cajún
Ensalada de arroz con anacardos y jengibre
Ensalada de tomates cherry y aceitunas
Ensalada de col, zanahoria, cebolla y mayonesa
Ensalada de arroz al curry con uvas rojas
Ensalada de judías verdes y tomates con almendras
y mostaza de Dijon
Ensalada de garbanzos y maíz
Garbanzos con nueces y albahaca fresca
Ensalada de zanahorias con jengibre y semillas de sésamo
Judías verdes y avellanas con vinagreta de albahaca
Ensalada de jícama con semillas de sésamo
Ensalada de kale y anacardos aderezada con tahini al limón
Ensalada Waldorf con kale
Ensalada de chía con limón y cilantro
Ensalada de fideos con mango y semillas de sésamo
Ensalada de calabacines marinados
Ensalada de bayas con nueces pecanas
Ensalada marroquí de remolacha
Ensalada de col china y cilantro
Ensalada de plumas de pasta con piñones
Arroz persa con pistachos
Ensalada tabulé de quinoa
Ensalada de quinoa con achicoria roja, nectarinas y nueces
Ensalada de judías rojas con papaya y cilantro
Ensalada de col y vinagreta de naranja
Ensalada de judías negras
Ensalada española de arroz y maíz
Superensalada de brotes
Ensalada tailandesa de pepino con vinagreta de chile
y cacahuetes

¡Nos encantan nuestras ensaladas! Nuestras comidas se centran alrededor de una amplia gama de hortalizas y verduras frescas colocadas en un cuenco grande. Toma nota de que cuando una receta requiere utilizar vinagre balsámico, nosotras utilizamos vinagre balsámico «sin plomo». Tanto si se produce de forma natural en la tierra o debido al proceso de fabricación, el plomo puede estar presente en el vinagre balsámico y el vinagre de vino tinto. Nosotras preferimos utilizar para nuestras vinagretas y aderezos vinagre de manzana de sidra, que no contiene plomo. En cualquier receta que requiera vinagre puedes utilizar vinagre de manzana, de vino tinto o blanco, de higos, de dátiles, de coco o de manzana de sidra.

Ensalada de manzana con arándanos rojos y semillas de calabaza

Una apetitosa ensalada llena de color y antioxidantes. Es sabido que los arándanos rojos alivian las infecciones del tracto urinario. Esta fruta ayuda también a combatir problemas de úlcera y de encías, y la combinación de arándanos rojos, manzanas y semillas de calabaza hace que este plato contribuya a estimular la memoria.

Para 6 personas

½ taza de zumo de naranja
¼ de taza de aceite de semillas de sésamo
3 cucharadas de cilantro fresco picado
½ cucharadita de pimienta negra molida

1 manzana Granny Smith, sin pelar, descorazonada y troceada
4 zanahorias grandes, ralladas
1 manzana roja, picada menuda
½ taza de arándanos rojos secos
½ taza de semillas de calabaza

1. En un cuenco pequeño, combina el zumo de naranja, las semillas de sésamo, el cilantro y la pimienta negra.
2. En un cuenco grande, mezcla la manzana, las zanahorias y la cebolla.
3. Incorpora la mezcla de zumo de naranja.
4. Añade los arándanos rojos y las semillas de calabaza. Sirve enseguida o coloca en la nevera.

Ensalada de aguacate, pomelo y rúcula

La rúcula es una hoja verde con un sabor ligeramente picante a mostaza. El pomelo añade un maravilloso sabor dulce y el aguacate confiere a esta ensalada un cremoso sabor a nuez.

Para 4 personas:

2 cucharadas de miel
3 cucharadas de zumo de lima natural
140 g de hojas de rúcula
2 pomelos, pelados y cortados en gajos

1 aguacate, cortado en dados
¼ de taza de semillas de girasol, preferiblemente remojadas en agua durante 1 hora como mínimo

1. Mezcla la miel y el zumo de lima en un cuenco mediano.
2. Añade la rúcula y mezcla bien.
3. Incorpora los gajos de pomelo y el aguacate.
4. Espolvorea con las semillas de girasol antes de servir.

Modifica la receta: Añade ½ taza de fresas o arándanos frescos. Sustituye las semillas de girasol por piñones o linaza.

Ensalada de hojas baby de espinacas y peras con avellanas

La espinaca es una maravillosa verdura que aporta un elevado contenido en vitamina K, excelente para el cerebro. Las peras Bosc añaden un toque dulce.

Para 4-6 personas

8 tazas de hojas tiernas de espinacas frescas, sin tallo
2 peras Bosc firmes pero maduras, sin pelar, partidas en cuartos a lo largo, descorazonadas y troceadas
1 taza de cebolla roja cortada en rodajas finas
½ taza de pasas

⅔ de taza de avellanas picadas
½ taza de aceite de oliva virgen extra
3 cucharadas de vinagre balsámico
2 cucharaditas de mostaza a la antigua
1 cucharada de miel sin refinar
½ cucharadita de sal marina kosher
½ cucharadita de pimienta negra molida

1. Coloca las espinacas, las peras, las cebollas, las pasas y las avellanas en un cuenco grande.
2. Coloca el aceite, el vinagre, la mostaza, la miel, la sal y la pimienta en un tarro y mezcla bien.
3. Vierte el aliño sobre la mezcla de espinacas.

Judías carillas y tomates con vinagreta de limón

Este plato inspirado en Oriente Medio aporta un alto contenido en proteínas y fibra.

Para 6 personas

¼ de taza de zumo de limón
2 dientes de ajo picados
1 cucharadita de mostaza de Dijon
½ cucharadita de sal marina
¼ de cucharadita de pimienta negra molda
¼ de taza de aceite de oliva virgen extra
2 botes de 420 g de judías carillas enjuagadas y escurridas
1 cebolla roja mediana, partida en cuartos y cortada en rodajas finas
1 taza de tomates cherry o pera, partidos por la mitad
½ cucharada de perejil picado grueso
¼ de cucharada de perejil para adornar

1. En un cuenco mediano, mezcla el zumo de limón, el ajo, la mostaza de Dijon, la sal y la pimienta.
2. Añade el aceite de oliva y bate bien hasta obtener una salsa emulsionada.
3. Incorpora las judías carillas, la cebolla roja, los tomates y el perejil.
4. Coloca en el frigorífico durante 1 hora como mínimo y sirve decorada con el perejil.

Ensalada de arroz negro y mango con nueces

Los mangos y las pasas dan un toque dulce a esta ensalada. Los mangos están llenos de antioxidantes, que son muy beneficiosos para la salud cerebral. El arroz negro es una antiquísima variedad de arroz cultivado en Asia y una excelente fuente de fibra.

Para 2 personas

1 taza de arroz negro	2 cucharadas de cilantro picado fino
2 tazas de agua	2 cucharadas de menta picada fina
2 tazas de mango cortado en dados	¼ de taza de aceite de oliva virgen
½ taza de cebolleta cortada en	extra
rodajas finas	½ taza de pasas
¼ de taza de perejil picado fino	⅓ de taza de nueces picadas

1. Vierte el aceite en un cazo grande y lleva a ebullición.
2. Añade el arroz.
3. Baja el fuego.
4. Cuece el arroz 35 minutos o hasta que esté tierno.
5. Escurre el arroz y deja que se enfríe.
6. Pásalo a un cuenco grande.
7. Incorpora el mango, las cebolletas, el perejil, el cilantro y la menta, y remueve.
8. Vierte a chorritos el aceite alrededor de los ingredientes y mezcla.
9. Incorpora las pasas y las nueces. Sirve a temperatura ambiente o fría.

Brócoli con pasas y almendras laminadas

El brócoli está lleno de poderosos antioxidantes. El vinagre de arroz, la miel y las pasas añaden un sabor dulce que combina perfectamente con las almendras. Puedes servir este plato enseguida o conservarlo en el frigorífico cuatro días.

Para 4 personas

⅓ de taza de vinagre de arroz	12 tazas de ramilletes de brócoli (de
⅓ de taza de aceite de oliva	2 manojos grandes), crudos o
virgen extra	cocidos al vapor
3 cucharadas de miel	½ taza de pasas
1 cucharadita de sal marina	¼ de taza de almendras laminadas
½ cucharadita de pimienta negra	
molida	

1. En un cuenco mediano, bate el vinagre, el aceite de oliva, la miel, la sal marina y la pimienta negra.
2. Coloca los ramilletes de brócoli en un cuenco mediano.
3. Vierte el aliño de vinagre y aceite de oliva sobre el brócoli y mezcla bien.
4. Añade las pasas y las almendras.

Ensalada César con piñones

Esta ensalada César vegana resulta muy sabrosa. ¡No echarás de menos la pasta de anchoas tradicional utilizada en muchas ensaladas César!

Para 2 personas

1 lechuga romana
1 tomate rojo troceado
¼ de taza de aceite de oliva virgen extra
2 cucharadas de zumo de limón fresco
2 dientes de ajo picados

½ cucharadita de sal marina
¼ de cucharadita de pimienta negra molida
¼ de taza de picatostes sin gluten
¼ de taza de queso parmesano o mozzarella veganos, opcional
¼ de taza de piñones

1. Trocea la lechuga menuda y coloca en un cuenco grande.
2. Añade el tomate.
3. En un cuenco pequeño, bate el aceite de oliva, el zumo de limón, el ajo, la sal y la pimienta negra.
4. Coloca los picatostes y el queso vegano sobre la ensalada.
5. Vierte el aliño por encima y mezcla bien.
6. Espolvorea con lo piñones y sirve enseguida.

Ensalada de arroz y aceitunas negras cajún

Esta ensalada cajún es una ensalada picante y llena de sabor. Puedes conservarla en el frigorífico cinco días.

Para 2-4 personas

2 cucharadas de aceite de oliva virgen extra
2 cucharadas de vinagre de manzana de sidra
1 cucharadita de hojas secas de orégano
1 cucharadita de hojas secas de tomillo
2 dientes de ajo, picados
1 cucharadita de salsa picante

2 tomates rojos grandes, cortados en dados
1 taza de aceitunas negras en rodajas
2 tazas de arroz integral cocido
1 bote de 420 g de judías blancas, bien escurridas
6 cebolletas, cortadas en rodajas finas
1 apio grande, cortado en dados

1. En un cuenco grande, mezcla el aceite de oliva, el vinagre, el orégano, el tomillo, el ajo y la salsa picante.
2. Añade los tomates, las aceitunas negras, el arroz, las judías, las cebolletas y el apio.
3. Sirve enseguida o fría.

Ensalada de arroz con anacardos y jengibre

Los anacardos, la lima y el jengibre fresco prestan a esta ensalada un sabor dulce es intenso.

Para 2-4 personas

El aliño:

2 cucharadas de jengibre recién rallado
½ taza de zumo de lima recién exprimido
¼ de taza de aceite de oliva virgen extra

3 dientes de ajo, picados
¼ de cucharadita de sal marina
¼ de cucharadita de pimienta negra molida

La ensalada:

2 tazas de arroz integral cocido
1 pimiento rojo morrón, sin semillas y picado fino

1 taza de tempeh cortado en dados
4 cebolletas, picadas menudas
½ taza de anacardos picados

1. Bate el jengibre rallado, el zumo de lima, el aceite de oliva, el ajo, la sal y la pimienta negra, y reserva.
2. Mezcla el arroz cocido, el pimiento morrón, el tempeh y las cebolletas en un cuenco grande.
3. Añade el aliño y mezcla bien.
4. Adorna con los anacardos.

Ensalada de tomates cherry y aceitunas

Los tomates cherry quedan muy bien en las ensaladas porque son dulces y tienen un vistoso color. Las semillas de girasol tostadas añaden un toque crujiente a esta refrescante ensalada.

Para 4 personas

40 tomates cherry, partidos por la mitad
1 taza de aceitunas negras en rodajas y deshuesadas
6 cebolletas, cortadas en rodajas finas
½ taza de aceite de oliva virgen extra
⅓ de taza de vinagre de vino tinto
2 cucharadas de albahaca fresca, picada (o 1 cucharada de albahaca seca, aunque es preferible utilizarla fresca)
¼ de cucharadita de sal marina
2 dientes de ajo, picados

1. Coloca los tomates, las aceitunas y las cebolletas en un cuenco mediano.
2. En un cuenco pequeño, bate el aceite de oliva, el vinagre de vino tinto, la albahaca, la sal marina y el ajo picado.
3. Incorpora la mezcla de aceite de oliva a los tomates, las aceitunas y las cebolletas. Sirve enseguida o fría.

Modifica la receta: Añade ½ taza de linaza (para darle un toque crujiente y una dosis de omega-3).

Ensalada de col, zanahoria, cebolla y mayonesa

La mayonesa vegana sin soja añade un cremoso y delicioso sabor a esta ensalada. Utiliza la mayonesa vegana de tu preferencia o puedes elaborarla tú. A nosotras nos gusta añadir col a muchos platos porque es un excelente desintoxicante de la sangre y beneficiosa para el cerebro. La col aporta un alto contenido de vitamina C, azufre y yodo, que es excelente para el cerebro. Cuanto más tiempo dejes marinar la col, más gustosa será. Esta ensalada puede conservarse una semana en el frigorífico.

Para 6 personas

2 tazas de col verde picada
2 tazas de col lombarda picada
1 taza de zanahorias ralladas
1 cebolla amarilla mediana, picada
4 cebolletas, cortadas en rodajas
¾ de taza de mayonesa vegana
½ taza de zumo de limón fresco
3 cucharadas de jarabe de arce puro
1 cucharadita de pimienta negra molida

1. Coloca la col verde, la col lombarda, las zanahorias y las cebollas en un cuenco grande.
2. Añade la mayonesa vegana y mezcla bien.
3. Incorpora el zumo de limón, el jarabe de arce y la pimienta negra.
4. Coloca en el frigorífico en un recipiente hermético durante 3 horas como mínimo y sirve.

Modifica la receta: Añade ½ taza de granos de maíz y ½ taza de nueces.
Durante las fiestas navideñas, añade ½ taza de arándanos rojos frescos o secos.

Ensalada de arroz al curry con uvas rojas

El curry mezclado con las uvas y las pasas confiere a esta ensalada de arroz un delicioso sabor dulce y picante.

Para 2 personas

2 tazas de arroz integral, cocido
½ taza de apio cortado en dados
½ taza de pasas
1 taza de uvas rojas sin semillas, partidas por la mitad
½ taza de cebolletas cortadas en rodajas

¼ de taza de aceite de oliva virgen extra
¼ de taza de zumo de limón
1 cucharada de curry en polvo
¼ de cucharadita de pimienta negra en polvo

1. En un cuenco grande, mezcla el arroz, el apio, las pasas, las uvas y las cebolletas.
2. En un cuenco pequeño, bate el aceite de oliva, el zumo de limón, el curry en polvo y la pimienta.
3. Vierte el aliño de aceite sobre la mezcla de arroz y remueve. Sirve esta ensalada recién preparada o fría.

Ensalada de judías verdes y tomates con almendras y mostaza de Dijon

Nos gusta comer las judías verdes crudas o cocidas al vapor. Los tomates cherry dulces y la cebolla roja prestan un delicioso sabor a estas judías verdes.

Para 4-6 personas

1 kg de judías verdes
1 y ½ cucharadita de mostaza de
   Dijon
2 cucharadas de vinagre de vino
   tinto
¼ de taza + 1 cucharada de aceite
   de oliva virgen extra
½ cucharadita de sal marina

1 cucharada de estragón picado
1 cucharada de cebollino picado
½ cucharadita de tomillo seco
1 cebolla roja mediana, cortada en
   rodajas
225 g de tomates cherry partidos
   por la mitad
½ taza de almendras laminadas

1. Cuece las judías verdes al vapor hasta que estén tiernas pero firmes, unos 4 minutos.
2. Escurre y enjuaga las judías debajo del chorro de agua fría para refrescarlas y seca con papel de cocina.
3. En un cuenco grande, bate la mostaza con el vinagre.
4. Bate el aceite de oliva y la sal marina.
5. Añade las judías, el estragón, el cebollino y el tomillo, y mezcla bien con el aliño.
6. Incorpora con cuidado los tomates, la cebolla roja y las almendras, y sirve.

Ensalada de garbanzos y maíz

Los garbanzos aportan un alto contenido en magnesio y fibra alimentaria, que son excelentes para el cerebro y favorecen la digestión y la circulación sanguínea. La cebolla roja y el maíz fresco dan un sabor dulce a este delicioso plato. Para ahorrar tiempo, solemos utilizar garbanzos en conserva, pero tú puedes dejarlos unas horas en remojo y cocer los garbanzos frescos.

Para 2 personas

1 bote de 420 g de garbanzos,
   escurridos y enjuagados (o 2
   tazas de garbanzos frescos
   cocidos)
⅔ de taza de granos de maíz cocidos
   al vapor
¼ de taza de pepino cortado en
   dados

1 cebolla roja pequeña cortada en
   dados
¼ de taza de pimiento rojo morrón
   cortado en dados
2 dientes de ajo picados
1 tomate grande cortado en dados
2 cucharadas de perejil fresco,
   picado menudo

4 cucharadas de aceite de oliva
  virgen extra
4 cucharadas de zumo de limón

¼ de cucharadita de sal marina
¼ de cucharadita de pimienta negra
  molida

1. Coloca los garbanzos, el maíz, el pepino, la cebolla roja, el pimiento morrón, el ajo, el tomate y el perejil en un cuenco mediano.
2. Bate juntos el aceite de oliva, el zumo de limón, la sal marina y la pimienta.
3. Vierte aliño sobre la mezcla de garbanzos y coloca en la nevera durante 1 hora como mínimo.

Garbanzos con nueces y albahaca fresca

Los garbanzos se utilizan con frecuencia en los platos mediterráneos. Este plato puede servirse recién preparado o frío.

Para 2 personas

1 bote de 420 g de garbanzos,
  escurridos y enjuagados
1 tomate grande cortado en dados
½ taza de apio cortado en dados
½ taza de hojas de albahaca
  picadas
3 dientes de ajo, picados
6 cebolletas cortadas en rodajas
  finas

3 cucharadas de vinagre de
  manzana de sidra
3 cucharadas de aceite de oliva
  virgen extra
1 cucharadita de perejil seco
¼ de cucharadita de pimienta negra
  molida
¼ de cucharadita de sal marina
½ taza de nueces picadas

1. Coloca los garbanzos, el tomate, el apio, la albahaca, el ajo y las cebolletas en un cuenco grande.
2. Añade el vinagre de manzana de sidra, el aceite de oliva, el perejil, la pimienta negra y la sal marina y remueve.
3. Sirve esta ensalada recién preparada o coloca la mezcla de garbanzos en un recipiente hermético y deja reposar 1 hora como mínimo para que los sabores se mezclen. Incorpora las nueces antes de servir.

Ensalada de zanahorias con jengibre y semillas de sésamo

Las semillas de sésamo dan un ligero toque crujiente a esta ensalada de zanahorias clásica.

Para 2 personas

¼ de taza de aceite de semillas de sésamo tostadas

2 cucharadas de vinagre de arroz

2 cucharadas de mantequilla de semillas se sésamo (tahini)

1 cucharada de jengibre fresco, rallado

½ cucharadita de pimienta negra molida

4 zanahorias grandes, ralladas

2 cucharadas de perejil fresco picado

2 cucharadas de semillas de sésamo

1. En un cuenco pequeño, bate el aceite de semillas de sésamo, el vinagre de arroz, la mantequilla de semillas de sésamo y la pimienta.
2. Coloca las zanahorias en un cuenco mediano.
3. Vierte sobre ellas el aliño de vinagre de arroz y remueve.
4. Incorpora el perejil y las semillas de sésamo, y remueve. Sirve esta ensalada enseguida o fría.

Modifica la receta: Añade ½ taza de pasas.

Judías verdes y avellanas con vinagreta de albahaca

Puedes consumir las judías verdes crudas o cocidas al vapor. Las judías verdes crudas, las cebolletas y las avellanas dan un fantástico toque crujiente a esta ensalada. Puedes conservarla en el frigorífico cinco días.

Para 4 personas

½ kg de judías verdes picadas

6 cebolletas picadas menudas

1 pepino cortado en dados

1 pimiento rojo morrón pequeño, cortado en dados

⅓ de taza de vinagre de manzana de sidra

⅓ de taza de aceite de oliva virgen extra

2 dientes de ajo, picados

1 cucharadita de albahaca seca

½ cucharadita de sal marina

½ cucharadita de pimienta negra molida

¼ de taza de avellanas

1. Coloca las judías verdes, las cebolletas, el pepino y el pimiento morrón rojo en un cuenco grande.
2. En un cuenco pequeño bate el vinagre, el aceite de oliva, el ajo picado, la albahaca, la sal marina y la pimienta negra.
3. Vierte la mezcla de aceite de oliva y vinagre sobre las judías verdes y demás ingredientes.
4. Coloca en el frigorífico 1 hora, añade las avellanas y sirve.

Ensalada de jícama con semillas de sésamo

Esta ensalada de jícama (nabo mexicano) constituye un delicioso snack ligero o guarnición.

Para 1-2 personas

2 tazas de jícama rallada
½ taza de cebolla roja rallada
2 cucharadas de aceite de semillas de sésamo

1 cucharada de miel
¼ de taza de zumo de limón
2 cucharadas de semillas de sésamo

1. Mezcla la jícama con la cebolla en un cuenco mediano.
2. En un cuenco pequeño, mezcla el aceite de semillas de sésamo, la miel y el zumo de limón.
3. Vierte el aliño de aceite de semillas de sésamo sobre la jícama y la cebolla roja y remueve.
4. Espolvorea unas semillas de sésamo por encima y sirve enseguida o fría.

Ensalada de kale y anacardos aderezada con tahini al limón

Nosotras utilizamos una salsa de soja sin soja, como la salsa de coco, que es una salsa de soja sin soja y sin gluten. Este aliño resulta también excelente sobre un lecho de hojas de lechuga o servido como dip para pepinos, zanahorias, pimientos morrones y apio. A nosotras nos gusta empapar toda la ensalada con este gustoso aderezo, pero quizá tú prefieras utilizar menos cantidad. El resto del aliño que quede puedes conservarlo en el frigorífico una semana. Está muy rico sobre ensaladas de lechuga o verduras cocidas al vapor.

Para 4 personas

Ensalada:

4 tazas de kale crudo picado (aproximadamente ½ manojo pequeño)
1 taza de zanahorias ralladas
1 aguacate cortado en dados

1 cebolla roja pequeña cortada en dados
1 apio cortado en dado
½ taza de anacardos

Aliño:

¾ de tazas de tahini (mantequilla de semillas de sésamo tostadas)
⅓ de taza de zumo de limón fresco
¼ de taza de salsa de soja sin soja
½ taza de aceite de oliva virgen extra

¼ de taza de pimiento verde morrón picado
1 apio picado
1 cebolla amarilla mediana, picada
2 dientes de ajo, pelados y partidos en cuartos

1. Coloca el kale, las zanahorias, el aguacate, la cebolla roja, el apio y los anacardos en un cuenco grande y reserva.
2. Pasa el tahini, el zumo de limón y la salsa de soja sin soja por la batidora o el robot de cocina durante 15 segundos.
3. Añade a la mezcla de tahini el pimiento morrón, el apio, la cebolla y el ajo y tritura hasta obtener una mezcla homogénea.
4. Vierte sobre la ensalada la mitad del aliño, seguida de la otra mitad en caso necesario, hasta alcanzar la cantidad deseada.

Ensalada Waldorf con kale

El kale añade unos fitonutrientes beneficiosos para el cerebro a esta ensalada Waldorf clásica. Las manzanas Fuji son las más adecuadas para este plato, pero puedes utilizar cualquier otra variedad.

Para 2-4 personas

Ensalada:

3 tazas de kale picado
1 taza de manzana rallada
1 cebollas roja cortada en dados

1 taza de apio cortado en dados
¾ de taza de nueces picadas

Aliño:

¼ de taza de semillas de girasol
¼ de taza de anacardos
¼ de taza de agua
½ taza de zumo de limón
1 cucharadita de mostaza

2 dientes de ajo, picados
2 cucharadas de aceite de oliva
   virgen extra
½ cucharadita de sal marina
¼ de cucharadita de pimienta negra

1. Coloca el kale, la manzana rallada, la cebolla roja, el apio y las nueces en un cuenco grande.
2. Tritura en el robot de cocina las semillas de girasol, los anacardos, el zumo de limón, la mostaza, el ajo, el aceite, la sal marina y la pimienta hasta obtener una salsa homogénea.
3. Vierte el aliño sobre la ensalada y mezcla bien.

Ensalada de chía con limón y cilantro

Esta gustosa ensalada es una alternativa ligera a la tradicional ensalada de col, zanahoria y cebolla aderezada con mayonesa y azúcar. Puede conservarse en el frigorífico una semana.

Para 2-4 personas

1 col verde, cortada en rodajas finas
1 cebolla amarilla grande, rallada
2 zanahorias grandes, ralladas
¼ de taza de semillas de chía
¼ de taza de zumo de limón
2 cucharadas de jarabe de arce

1 cucharada de cilantro fresco,
   cortado en daditos
1 cucharada de mostaza de Dijon
⅔ de taza de aceite de oliva virgen
   extra

1. Coloca la col, la cebolla, las zanahorias y las semillas de chía en un cuenco grande.
2. Pasa por la batidora el zumo de limón, el zumo de arce, el cilantro y la mostaza 10 segundos.
3. Con la batidora en marcha, incorpora lentamente el aceite de oliva y bate hasta obtener una salsa homogénea.
4. Vierte el aliño sobre la mezcla de col y remueve bien.
5. Colócala en el frigorífico y sirve fría.

Ensalada de fideos con mango y semillas de sésamo

El mango confiere un toque dulce a esta deliciosa ensalada.

Para 4-6 personas

350 g de fideos de soba
4 cucharadas de aceite de oliva
   virgen extra
3 cucharadas de vinagre de arroz
3 cucharadas de zumo de limón
3 cucharadas de miel
¼ de cucharadita de pimienta
   cayena
½ cucharadita de sal marina

4 cebollas verdes cortadas en
   rodajas finas
¼ apio cortado en dados
2 zanahorias ralladas
2 mangos, pelados y cortados en
   dados
¼ cilantro picado
2 cucharadas de semillas de sésamo

1. Coloca en una cacerola grande los fideos de soba y hiérvelos hasta que estén cocidos pero firmes, unos 8 minutos.
2. Escurre y enjuaga los fideos debajo del chorro de agua fría.
3. Trasládalos a un cuenco grande.
4. En otro cuenco grande, bate el aceite, el vinagre, el zumo de limón, la miel, la pimienta cayena y la sal con unas varillas o un tenedor de dientes largos.
5. Añade los fideos, las cebollas verdes, el apio, la zanahorias, los mangos y el cilantro y remueve.
6. Coloca la ensalada en el frigorífico 2 horas como mínimo, removiendo cada media hora para que los fideos absorban el aliño de modo uniforme.
7. Sirve fría, aderezada con las semillas de sésamo.

Ensalada de calabacines marinados

Conviene dejar marinar esta ensalada durante 4 horas como mínimo para realzar todos los sabores.

Para 4 personas

¼ de taza de zumo de limón
1 diente de ajo picado
1 cucharadita de sal marina
⅛ de cucharadita de pimienta negra

3 cucharadas de aceite de oliva
   virgen extra
½ kg de calabacines medianos,
   cortados en rodajas finas

1 cucharada de perejil picado fino   1 cucharadita de eneldo
1 cucharada de menta picada fina

1. Mezcla el zumo de limón, el ajo, la sal marina, la pimienta negra y el aceite de oliva.
2. Vierte sobre los calabacines y remueve.
3. Coloca la ensalada en el frigorífico durante 4 horas como mínimo.
4. Añade el perejil, la menta y el eneldo a los calabacines marinados y remueve suavemente. Sirve enseguida.

Modifica la receta: Añade ½ taza de pimiento rojo morrón cortado en dados y ½ taza de piñones para darle un sabor dulce y crujiente.

Ensalada de bayas con nueces pecanas

Esta ensalada de bayas aderezada con un aliño entre dulce y ácido y nueces pecanas constituye un snack ideal a mediodía.

Para 4 personas

2 tazas de fresas, sin las hojitas verdes
1 taza de arándanos
1 taza de frambuesas

½ taza de moras
2 cucharadas de vinagre balsámico
2 cucharadas de jarabe de arce
½ taza de nueces pecanas

1. Coloca las fresas, los arándanos, las frambuesas y las moras en un cuenco grande.
2. En un cuenco pequeño bate el vinagre balsámico y el jarabe de arce.
3. Vierte la mezcla de vinagre y jarabe sobre las bayas.
4. Adereza con las nueces pecanas y sirve.

Modifica la receta: Sustituye las nueces pecanas por ½ taza de granola de coco y anacardos (página 184).

Ensalada marroquí de remolacha

Esta ensalada servida fría está muy rica sola, sobre un lecho de quinoa o de lechugas.

Para 2-4 personas

4 remolachas grandes
1 cebolla roja mediana, cortada en rodajas finas

⅔ de taza de nueces pecanas picadas
3 cucharadas de zumo de limón

2 dientes de ajo, picados
¾ de cucharadita de comino
¼ de cucharadita de sal marina

⅛ de cucharadita de pimienta negra
6 cucharadas de aceite de oliva
virgen extra

1. Cuece las remolachas al vapor a fuego medio suave 45 minutos o hasta que estén tiernas cuando las pinches con un tenedor.
2. Enfría, pela y corta las remolachas en dados.
3. Coloca las remolachas, la cebolla roja y las pecanas en un cuenco mediano.
4. En un cuenco pequeño bate el zumo de limón, el ajo, el comino, la sal marina, la pimienta y el aceite de oliva.
5. Vierte el aliño sobre la mezcla de remolacha y enfría en el frigorífico un par de horas.

Ensalada de col china y cilantro

La col china, que se originó cerca de Beijing, China, es muy utilizada en la cocina de Asia oriental. Comparada con la col verde o la col lombarda es algo más suave y dulce, por lo que resulta ideal para preparar esta refrescante ensalada. También puedes utilizar col de Saboya. Cuando está marinada esta ensalada adquiere una consistencia y un sabor entre la tradicional ensalada de col y el chucrut. Puede conservarse en el frigorífico una semana.

Para 4-6 personas

Ensalada:

3 tazas de col china picada
1 taza de col lombarda picada
1 taza de zanahorias ralladas
¾ de taza de remolacha amarilla rallada
4 cebolletas cortadas en rodajas (aproximadamente ¼ de taza)

3 cucharadas de cilantro fresco picado
½ cucharadita de pimienta negra molida
1 cucharadita de sal marina
3 cucharadas de semillas de sésamo (opcional)

Aliño:

2 cucharadas de miso
4 cucharadas de zumo de manzana
2 cucharadas de aceite de semillas de sésamo tostadas

2 cucharadas de vinagre de manzana de sidra
2 dientes de ajo picados

1. Coloca la col china, la col lombarda, las zanahorias, las remolachas, las cebolletas y el cilantro en un cuenco grande.
2. En un cuenco pequeño, bate (utiliza las varillas o un tenedor) el miso, el zumo de manzana, el aceite de semillas de sésamo tostadas y el ajo hasta obtener una salsa emulsionada.
3. Vierte el aliño sobre la mezcla de col y remueve bien.
4. Incorpora la pimienta, la sal marina y las semillas de sésamo. Sirve o deja reposar durante la noche.

Modifica la receta: Sustituye las semillas de sésamo por ½ taza de cacahuetes, almendras o anacardos.

Ensalada de plumas de pasta con piñones

Aconsejamos preparar esta ensalada la noche anterior. En un día caluroso de verano, resulta muy agradable sacarla del frigorífico, servirla sobre un lecho de hojas de lechugas o consumirla en el mismo bol.

Para 2 personas

225 g de plumas de pasta de arroz
⅓ de taza de vinagre de manzana de sidra
¼ de taza de aceite de oliva virgen extra
½ taza de olivas negras partidas en rodajas
225 g de tomates cherry partidos por la mitad (aproximadamente 1 taza)
½ taza de guisantes frescos desgranados
2 dientes de ajo picados
2 cucharaditas de albahaca seca
1 cucharadita de sal marina
1 cucharadita de pimienta negra molida
½ taza de piñones

1. Cuece la pasta según las instrucciones del paquete.
2. Escurre la pasta y pásala a un cuenco grande.
3. Añade el vinagre y el aceite de oliva.
4. Incorpora las aceitunas, los guisantes, el ajo, la albahaca, la sal marina y la pimienta negra.
5. Añade los piñones antes de servir.

Arroz persa con pistachos

El arroz basmati tiene una textura ligera que resulta ideal para esta ensalada dulce y picante. Puedes consumirla caliente o fría y conservarla en el frigorífico una semana.

Para 2 personas

2 tazas de arroz basmati cocido y refrescado
1 cucharadita de azafrán
½ cucharadita de sal marina
⅛ de cucharadita de cúrcuma
⅛ de cucharadita de escamas de pimiento rojo

½ taza de zanahorias ralladas
⅓ de taza de pimiento morrón rojo, cortado en dados
¼ de taza de pasas
½ taza de pistachos
1 cucharada de zumo de limón

1. En un cuenco grande mezcla bien el arroz basmati, la sal marina, la cúrcuma y las escamas de pimiento rojo.
2. Añade las zanahorias, el pimiento rojo morrón, las pasas, los pistachos y el zumo de limón.

Ensalada tabulé de quinoa

Esta ensalada se prepara tradicionalmente con bulgur, una especie de trigo. La quinoa es un grano totalmente integral que no contiene gluten y una magnífica fuente de proteínas, baja en índice glucémico y rica en aminoácidos. Es un cereal muy versátil que absorbe perfectamente los sabores. Con la quinoa no echarás de menos el bulgur y disfrutarás de los deliciosos sabores de las hierbas frescas. Cuece la quinoa siguiendo las instrucciones del paquete.

Para 2 personas

1 taza de quinoa cocida
3 tomates rojos medianos, cortados en dados
¼ de taza de perejil fresco picado
¼ de taza de menta fresca picada
1 calabacín mediano, pelado y cortado en dados

4 dientes de ajo picados
1 cebolla roja pequeña, cortada en dados
4 cucharadas de aceite de oliva virgen extra
4 cucharadas de zumo de limón

1. En un cuenco mediano mezcla la quinoa, los tomates, el perejil, la menta, el pepino, el ajo y la cebolla.
2. Añade el aceite y el zumo de limón y remueve.
3. Coloca en el frigorífico durante 1 hora como mínimo. Sirve esta ensalada fría.

Ensalada de quinoa con achicoria roja, nectarinas y nueces

La achicoria roja es una magnífica fuente de fibra, vitaminas y minerales. Contiene una elevada cantidad de antioxidantes y fitonutrientes vegetales, y constituye una excelente fuente de vitamina K, que contribuye a reducir los daños neuronales en el cerebro. El dulce sabor de las nectarinas contrarresta el ligero amargor de la achicoria roja.

Para 2 personas

4 cucharadas de aceite de oliva virgen extra

2 cucharadas de vinagre de manzana de sidra

½ cucharadita de mostaza de Dijon

½ cucharadita de sal marina

¼ de cucharadita de pimienta negra

2 tazas de quinoa cocida y refrescada

2 nectarinas grandes, firmes y maduras, cortadas en dados

1 cabeza de achicoria roja picada

½ taza de nueces

1. En un cuenco pequeño bate juntos el aceite, el vinagre y la mostaza.
2. Añade la sal y la pimienta y remueve.
3. En un cuenco grande combina la quinoa, las nectarinas y la achicoria roja.
4. Incorpora el aliño a la ensalada y mezcla suavemente.
5. Espolvorea las nueces por encima y sirve.

Modifica la receta: Sustituye las nectarinas por melocotones. Añade ½ taza de pasas.

Ensalada de judías rojas con papaya y cilantro

Esta ensalada está muy rica servida sola o sobre un lecho de hojas de lechuga romana.

Para 2-4 personas

2 cucharadas de jengibre fresco picado fino
½ taza de vinagre de arroz
2 cucharadas de aceite de sésamo
½ cucharadita de pimienta negra
1 taza de judías rojas

1 taza de papaya fresca cortada en dados
1 taza de cilantro fresco picado
1 aguacate Hass cortado en rodajas
¼ de taza de linaza

1. En un cuenco mediano mezcla el jengibre, el vinagre de arroz, el aceite de sésamo y la pimienta negra.
2. Añade las judías, la papaya y el cilantro.
3. Coloca la ensalada en el frigorífico durante 20 minutos como mínimo para que se mezclen los sabores.
4. Adorna con el aguacate y la linaza.

Modifica la receta: Añade ½ taza de mango fresco cortado en dados. Sustituye las judías por garbanzos.

Ensalada de col y vinagreta de naranja

La col blanca y la col lombarda combinadas con pimientos rojos morrones y zanahorias otorgan un atractivo color a esta ensalada. La vinagreta añade la cantidad justa de dulzor.

Para 3 personas

Ensalada:

2 tazas de col blanca picada
1 taza de col lombarda picada
¼ de taza de pimiento rojo morrón cortado en dados

1 y ½ taza de zanahorias picadas
¼ de taza de pasas

Vinagreta:

2 y ½ tazas de zumo de limón (aproximadamente el zumo de 4 naranjas)
¾ de taza de aceite de oliva virgen extra

1 cucharada de mostaza de Dijon
1 cucharada de jengibre fresco picado
1 cucharadita de pimienta negra molida

1. En un cuenco grande mezcla las coles, el pimiento morrón, las zanahorias y las pasas.

2. En otro cuenco bate el zumo de naranja, el aceite de oliva, la mostaza, el jengibre y la pimienta negra.
3. Vierte la vinagreta sobre la mezcla de coles y remueve.
4. Deja marinar 1 hora como mínimo en el frigorífico antes de servir.

Ensalada de judías negras

El cilantro y el maíz dan un toque dulce e intenso a esta ensalada de judías negras.

Para 2-4 personas

2 tazas de granos de maíz cocidos
1 bote de 420 g de judías negras, enjuagadas
½ taza de aceitunas negras partidas en rodajas
2 cebolletas, cortadas en rodajas
1 cebolla roja, cortada en dados
1 tomate, cortado en dados

1 taza de col lombarda picada
¼ de taza de zumo de lima
¼ de taza d aceite de oliva virgen extra
¼ de taza de cilantro fresco picado
½ cucharadita de sal marina
⅛ de cucharadita de pimienta negra molida

1. Coloca los granos de maíz, las judías, las aceitunas, las cebolletas, la cebolla roja, el tomate y la col en un cuenco mediano.
2. En un cuenco pequeño bate el zumo de lima, el aceite de oliva, el cilantro, la sal marina y la pimienta.
3. Vierte el aliño sobre la mezcla y remueve bien para impregnar todos los ingredientes. Sirve enseguida o fría.

Modifica la receta: Añade ½ taza de semillas de girasol y un aguacate maduro cortado en dados.
Añade 1 cucharada colmada de guacamole.

Ensalada española de arroz y maíz

El pimiento rojo morrón presta un sabor dulce y delicioso a esta ensalada española de arroz.

Para 2-4 personas

2 tazas de arroz integral cocido
1 tomate mediano, cortado en dados

1 cebolla roja, cortada en dados
1 pimiento rojo morrón, sin semillas y cortado en dados

½ taza de granos de maíz cocidos
1 apio, picado fino
1 aguacate, cortado en dados
2 cucharadas de cilantro picado fino
4 cucharadas de aceite de oliva
   virgen extra

4 cucharadas de zumo de limón
1 cucharadita de sal marina
½ cucharadita de chile en polvo
⅛ de cucharadita de escamas de
   pimiento rojo
3 dientes de ajo, picados

1. Mezcla el arroz integral, el tomate, la cebolla, el pimiento morrón, el maíz, el apio, el aguacate y el cilantro en un cuenco grande.
2. En un cuenco pequeño bate el aceite de oliva, el zumo de limón, la sal marina, el chile en polvo, las escamas de pimiento rojo y el ajo picado.
3. Vierte el aliño sobre la mezcla de arroz. Sirve enseguida o frío.

Modifica la receta: Añade ½ taza de judías negras y ½ taza de aceitunas negras cortadas en rodajas.

Superensalada de brotes

Nosotras elaboramos nuestros propios brotes. Es fácil y están llenos de proteínas y nutrientes muy saludables para el cerebro.

Para 4 personas

Ensalada:

1 taza de col, rallada fina
½ taza de brotes de lentejas
½ taza de brotes de alfalfa o trébol
2 tazas de zanahorias ralladas

½ taza de pimiento rojo morrón,
   cortado en dados
⅓ de taza de semillas de girasol
   crudas, remojadas

Aliño:

3 cucharadas de zumo de limón
3 cucharadas de mantequilla de
   semillas de sésamo crudas
   (tahini)

1 cucharadas de salsa de soja sin
   gluten (tamari)
1 cucharada de levadura
   nutricional

1. Coloca la col, los brotes, la zanahoria, el pimiento morrón y las semillas de girasol en un cuenco mediano.
2. Bate bien el zumo de limón, la mantequilla de semillas de sésamo, la salsa de soja y la levadura nutricional.
3. Añade el aliño a la mezcla de verduras y brotes, y sirve o deja que se enfríe en el frigorífico 1 hora.

Modifica la receta: Añade unos brotes de semillas de girasol. Sustituye los brotes de lentejas o de alfalfa por brotes de semillas de girasol.

Ensalada tailandesa de pepino con vinagreta de chile y cacahuetes

Puedes dejar los pepinos con la piel o pelarlos en esta maravillosa ensalada. Está muy rica servida enseguida o fría.

Para 2 personas

Ensalada:

2 pepinos grandes picados
6 cebolletas cortadas en rodajas
1 taza de pimiento rojo morrón cortado en dados
1 taza de zanahorias ralladas
¼ de taza de cilantro picado
2 dientes de ajo picados

Aliño:

2 cucharadas de zumo de lima
1 cucharada de miel
2 cucharadas de mantequilla de cacahuete
3 cucharadas de salsa de soja sin gluten
¼ de cucharadita de pimienta negra
½ cucharadita de escamas de pimiento rojo
2 cucharadas de vinagre de arroz
1 cucharada de aceite de sésamo
2 cucharadas de agua
½ taza de cacahuetes tostados secos

1. Coloca los pepinos, las cebolletas, el pimiento morrón, las zanahorias, el cilantro y los ajos en un cuenco mediano y reserva.
2. Pasa el zumo de lima, la miel, la mantequilla de cacahuete, la salsa de soja, las escamas de pimiento, el vinagre, el aceite y el agua por la batidora y tritura hasta obtener una salsa emulsionada.
3. Vierte el aliño y los cacahuetes sobre la mezcla de pepino y remueve. Sirve enseguida o fría.

SABROSAS SOPAS

Gazpacho de aguacate
Sopa de bayas
Sopa de brócoli y piñones
Sopa de brócoli, patata y queso
Sopa de calabaza Butternut
Gumbo de verduras cajún
Sopa de pasta y judías
Crema de zanahoria
Sopa de Coliflor con curry
Sopa de patata y coliflor
Sopa fría de pepino y uvas
Caldo de verduras clásico
Sopa de maíz y anacardos
Crema de champiñones
Crema de tomate y albahaca
Sopa de garbanzos al curry
Sopa de tortilla de chips
Gazpacho
Minestrone
Sopa de calabaza a la pimienta de Jamaica
Sopa de pimientos rojos y ajo
Sopa de col de Saboya
Sopa de lentejas rojas picante
Sopa de kale picante
Sopa primaveral de verduras
Sopa de acelgas y tomates secos
Sopa de remolacha
Sopa de guisantes
Sabrosa sopa de guisantes y estragón
Sopa de quinoa
Sopa de sandía y pepino

Gazpacho de aguacate

Los aguacates están en sazón en verano, y esta sopa resulta muy refrescante.

Para 4 personas

2 tazas de agua
3 aguacates Hass grandes y maduros, troceados
1 pepino grande cortado en dados
¾ de taza de cilantro fresco picado
3 dientes de ajo, picados
1 cebolla roja pequeña, picada
3 cucharadas de zumo de lima fresco
1 cucharada de aceite de aguacate
1 cucharadita de sal marina

½ cucharadita de comino
¼ de cucharadita de pimienta negra
½ taza de cebolletas cortadas en rodajas para adornar
½ taza de tomates cortados en dados para adornar
½ taza de aguacate cortado en dados para adornar
1 cucharada de cilantro picado para adornar

1. Pasa el agua, los aguacates, el pepino, el cilantro, el ajo, la cebolla roja, el zumo de lima, el aceite de aguacate, la sal marina, el comino y la pimienta negra por la batidora hasta obtener un puré emulsionado.
2. Enfría en el frigorífico 3 horas como mínimo.
3. En un pequeño cuenco, combina suavemente las cebolletas, los tomates, el aguacate y el cilantro, y utiliza para adornar cada plato.

Sopa de bayas

Las bayas están en su mejor momento durante los meses estivales. Con bayas frescas obtendrás una sopa veraniega dulce y saciante.

Para 2 personas

2 y ½ taza de bayas frescas (arándanos, moras, frambuesas, fresas; o 1 bolsa de 450 g de bayas congeladas)
1 taza de zumo de manzana

3 ramas de canela de 15 cm
2 clavos enteros
2 cucharadas de harina de arrurruz
1 cucharadita de extracto de vainilla

1. Coloca las bayas en una cacerola grande.

2. Añade 1 y ⅓ de taza de zumo de manzanas, las ramas de canela y los clavos y lleva a ebullición.
3. Baja el fuego y deja cocer suavemente durante aproximadamente 8 minutos.
4. Añade el resto del zumo de manzana a la mezcla.
5. Incorpora el arrurruz y prosigue con la cocción hasta que la mezcla empiece a espesarse, aproximadamente otros 2 minutos.
6. Retira del fuego, añade la vainilla y remueve.
7. Desecha la canela en rama y los clavos enteros. Sirve caliente o fría.

Sopa de brócoli y piñones

Los piñones tostados añaden un sabor delicioso a esta cremosa sopa.

Para 4-6 personas

1 cebolla amarilla grande, picada
3 dientes de ajo, pelados y partidos en cuartos
1 y ¼ kg de brócoli, sin los tallos y dividido en ramilletes
½ taza de piñones
5 y ½ tazas de caldo de verduras
1 cucharadita de romero
1 cucharadita de tomillo
1 cucharada de albahaca
1 cucharadita de sal marina
2 cucharadas de piñones para adornar

1. Cuece las cebollas, el ajo, el brócoli y el caldo de verduras en una olla grande, tapada, a fuego medio suave durante 20 minutos.
2. Retira del fuego y añade ½ taza de piñones, el romero, el tomillo, la albahaca y la sal marina.
3. Pasa todos los ingredientes por el robot de cocina o la batidora, en varias tandas, hasta obtener una mezcla emulsionada.
4. Vierte la sopa de nuevo en la olla, calienta unos 8 minutos y sirve caliente, adornada con los piñones.

Sopa de brócoli con patatas y queso

El queso vegano da a esta sopa una textura cremosa con sabor a queso.

Para 4 personas

½ taza de ramilletes de brócoli fresco	2 tazas de patatas rojas cortadas en dados
1 cebolla amarilla mediana, cortada en dados	½ cucharadita de sal marina
1 cucharada de aceite de oliva virgen extra	¼ de cucharadita de nuez moscada molida
3 dientes de ajo, picados	1 taza de leche de almendras
3 tazas de caldo de verduras	1 taza de queso vegano

1. Cuece los ramilletes de brócoli y la cebolla al vapor unos 5 minutos.
2. Coloca el brócoli, la cebolla, el aceite, el ajo, el caldo de verduras, las patatas, la sal marina y la nuez moscada en una olla grande y lleva ebullición, tapada.
3. Baja el fuego y prosigue con la cocción unos 20 minutos, o hasta que las patatas estén tiernas.
4. Añade la leche de almendras y el queso vegano y deja cocer otros 5 minutos. Sirve caliente.

Sopa de calabaza Butternut

Las peras y la calabaza dan a esta sopa un sabor dulce y delicado.

Para 4 personas

2 puerros medianos, las partes blancas y verdes tiernas picadas finas (3 tazas)	trozos de 2 y ½ cm (aproximadamente 1 kg)
1 calabaza Butternut mediana, pelada y cortada en trozos de 2 y ½ cm (1 kg)	5 tazas de caldo de verduras
	1 bote de 400 g de leche de coco
	1 cucharadita de tomillo
2 cucharadas de aceite de oliva virgen extra	1 cucharadita de romero
	1 cucharada de albahaca fresca picada
3 peras Bartlett, peladas, descorazonadas y partidas en	½ cucharadita de sal marina
	1 cucharadita de orégano

1. Cuece los puerros y la calabaza al vapor durante unos 10 minutos.
2. Coloca el caldo de verduras, los puerros, la calabaza, el aceite y las peras en una olla grande, y lleva a ebullición.
3. Baja el fuego y deja que cueza suavemente hasta que la calabaza esté tierna, aproximadamente 35 minutos.

4. Añade la leche de coco.
5. Deja enfriar y pasa la mezcla por el robot de cocina o la batidora hasta obtener un puré emulsionado.
6. Vierte la mezcla de nuevo en la olla y añade el tomillo, el romero, la albahaca, la sal marina y el orégano.
7. Deja cocer a fuego lento sin dejar de remover unos 5 minutos. Sirve caliente.

Gumbo de verduras cajún

Cuando se inventó el gumbo o guiso criollo, en el siglo XVIII, consistía en un plato de quimbombó guisado. En esta receta hemos añadido arroz al gumbo, pero puedes preparar la sopa y verterla sobre un lecho de arroz integral cocido y condimentado a tu gusto.

Para 4-6 personas

1 kg de verduras (col, mostaza o nabos), lavadas y sin los tallos
⅓ de taza de aceite de oliva virgen extra
2 cebollas amarillas grandes, cortadas en dados pequeños
1 pimiento morrón verde, cortado en dados pequeños
4 apios, cortados en dados pequeños
1 bote de 450 g de tomates pera, escurridos y picados
6 tazas de caldo de verduras

¼ de taza de harina de avena
1 cucharadita de chile
1 cucharadita de comino
1 cucharadita de tomillo
1 cucharadita de albahaca
½ cucharadita de orégano
¼ de taza de perejil fresco, picado
3 dientes de ajo, picados
1 bolsa de 280 g de quimbombó congelado
1 bote de 450 g de judías, escurridas y enjuagadas
2 tazas de arroz integral cocido

1. Coloca las verduras en una olla grande, cubre con agua y lleva a ebullición.
2. Baja el fuego y deja cocer suavemente unos 15 minutos.
3. Escurre y reserva el agua de la cocción.
4. Trocea las verduras y reserva.
5. Coloca el aceite, las cebollas, el pimiento morrón, el apio y los tomates en una cacerola grande y deja cocer a fuego lento unos 5 minutos.
6. Añade el caldo de verduras y las verduras y remueve constantemente a fuego medio suave durante unos 5 minutos.

7. Incorpora la harina de avena, el chile, el comino, el tomillo, la albahaca, el orégano, el perejil, el ajo, el quimbombó, las judías y el arroz.

8. Prosigue con la cocción a fuego lento 10 minutos y sirve caliente.

Sopa de pasta y judías

Las judías Cannellini, una variedad italiana de la judíaa blanca, tienen un sabor suave y dan a esta sopa una textura cremosa. Estas judías de alto contenido en fibra están llenas de antioxidantes que contribuyen a prevenir la demencia.

Para 6 personas

1 bulbo de hinojo mediano, picado fino (1 taza)

1 cebolla amarilla mediana, picada (1 taza)

2 apios, picados

1 cucharada de aceite de oliva virgen extra

3 dientes de ajo, picados

1 cucharadita de orégano seco

¼ de cucharadita de escamas de pimiento rojo

1 cucharadita de albahaca fresca

6 tazas de caldo de verduras

1 bote de 800 g de tomates en conserva cortados en dados

1 bote de 420 g de judías blancas, escurridas y enjuagadas

1 cucharadita de comino

1 cucharadita de sal marina

225 g de pasta corta de quinoa, tipo conchas o en forma tubular

3 cucharadas de perejil fresco picado

1. Coloca el hinojo, la cebolla, el apio y el aceite de oliva en una cacerola grande y cuece unos 3 minutos a fuego lento sin dejar de remover.

2. Añade el ajo, el orégano, las escamas de pimiento rojo y la albahaca y prosigue con la cocción unos 30 segundos más.

3. Incorpora el caldo de verduras, los tomates, las judías, el comino y la sal marina.

4. Deja cocer a fuego medio suave durante unos 15 minutos, removiendo de vez en cuando.

5. Añade la pasta de quinoa y prosigue con la cocción a fuego medio suave unos 10 minutos o hasta que la pasta esté tierna.

6. Adorna con el perejil y sirve caliente.

Crema de zanahoria

La pimienta cayena y el curry realzan el sabor dulce de las zanahorias en esta gustosa sopa.

Para 4-6 personas

1 boniato mediano, pelado y cortado en trozos pequeños
6 zanahorias grandes, peladas y cortadas en círculos de ½ cm
4 tazas de agua
1 cebolla amarilla mediana, cortada en dados (aproximadamente 1 taza)

2 dientes de ajo, picados
2 cucharadas de jengibre fresco picado
1 cucharada de curry en polvo
⅛ de cucharadita de pimienta cayena
1 cucharadita de sal marina
2 cucharadas de zumo de lima
2 tazas de leche de coco

1. Cuece el boniato y las zanahorias al vapor durante aproximadamente 25 minutos, o hasta que estén blandos y tiernos.
2. Echa en una olla grande el agua, el boniato, las zanahorias, la cebolla, el ajo, el jengibre, el curry en polvo, la pimienta cayena y la sal marina, y cuece a fuego medio suave 5 minutos.
3. Traslada la sopa al robot de cocina o a la batidora y tritura los ingredientes hasta obtener un puré homogéneo, en caso necesario en varias tandas.
4. Vierte de nuevo la sopa en la olla.
5. Añade la leche de coco y al zumo de lima y remueve.
6. Deja cocer a fuego medio suave unos 5 minutos. Sirve caliente.

Sopa de coliflor con curry

Esta sopa picante al curry obtiene un agradable dulzor de la manzana y el jarabe de arce.

Para 4-6 personas

4 tazas de caldo de verduras
1 coliflor grande, partida en trozos de 2 y ½ cm (aproximadamente 6 tazas).
1 cebolla amarilla mediana picada (1 taza)

3 dientes de ajo, picados
1 manzana Granny Smith o reineta, pelada, descorazonada y troceada (1 taza)
1 cucharada de curry en polvo

1 cucharada de vinagre de manzana   1 cucharada de jarabe de arce
   de sidra

1. Echa el caldo de verduras, la coliflor, la cebolla y el ajo en una olla grande y cuece a fuego lento 20 minutos.
2. Añade la manzana y el curry en polvo, y remueve.
3. Cuece a fuego lento 5 minutos.
4. Deja que la sopa se enfríe.
5. Pásala por el robot de cocina y tritura los ingredientes hasta obtener una mezcla emulsionada.
6. Incorpora el vinagre y el jarabe de arce.
7. Vierte de nuevo la sopa en la olla y deja cocer a fuego medio suave 3 minutos. Sirve caliente.

Sopa de patatas y coliflor

La coliflor cocida da a esta sopa una textura rica y cremosa.

Para 6-8 personas

4 cabezas de ajo
2 cucharadas de aceite de oliva
   virgen extra
2 apios, cortados en rodajas
3 cucharadas de hojas de tomillo,
   picadas
1 cebolla amarilla mediana, cortada
   en dados

1 coliflor mediana, partida en
   ramilletes
2 patatas rojas medianas, peladas y
   cortadas en dados
6 tazas de caldo de verduras
1 cucharadita de mostaza de Dijon
1 y ½ cucharadita de sal marina
1 cucharadita de pimienta negra

1. Corta la parte superior de las cabezas de ajo y elimina las hojas externas. Cuécelas al vapor 5 minutos o hasta que estén tiernas.
2. Deja que los ajos se enfríen y extrae la carne.
3. Echa el aceite de oliva, el apio, las hojas de tomillo, la cebolla y el ajo en una olla grande y cuece a fuego lento unos 2 minutos.
4. Añade la coliflor, las patatas, el caldo de verduras, la mostaza, la sal marina y la pimienta, y lleva a ebullición.
5. Baja el fuego y deja cocer a fuego lento 20 minutos.
6. Deja que se enfríe.
7. Traslada la sopa al robot de cocina o a la batidora y tritura los ingredientes hasta obtener una mezcla emulsionada.
8. Vierte la sopa de nuevo en la olla.

9. Prosigue con la cocción a fuego medio suave 5 minutos. Sirve caliente.

Sopa fría de pepino y uvas

Esta sopa presenta una refrescante alternativa al gazpacho tradicional.

Para 4 personas

2 tazas de caldo de verduras
2 pepinos grandes, pelados, sin semillas y cortados en rodajas
1 pimiento jalapeño, sin semillas y picado (opcional)
6 cebolletas cortadas en rodajas
3 apios cortados en rodajas

2 aguacates Hass
3 cucharadas de zumo de lima
¼ de taza de cilantro fresco, picado
¼ de taza de albahaca fresca, picada
2 tazas de uvas verdes, sin semillas, partidas por la mitad y divididas

1. Pasa el caldo de verduras, los pepinos, el pimiento jalapeño, las cebolletas, el apio, los aguacates, el zumo de lima, el cilantro, la albahaca y 1 y ½ taza de uvas por el robot de cocina hasta obtener una mezcla homogénea (o la consistencia deseada).
2. Añade la ½ taza restante de uvas.
3. Coloca la sopa en el frigorífico en un recipiente de 2 litros aproximadamente 2 horas o hasta que esté bien fría. Sirve fría.

Caldo de verduras clásico

El Caldo de verduras clásico puede utilizarse en todas las recetas de este libro que requieran caldo de verduras, o puedes adquirirlo ya preparado en el supermercado. También puedes utilizar pastillas de caldo de verduras bajo en sal. Un gustoso caldo realza el sabor de los platos de arroz, de verduras y muchas otras recetas. Aunque puedes adquirirlo ya preparado en el supermercado, un caldo casero presta frescura a un plato y es un práctico sistema de aprovechar las sobras de hortalizas.

No existe una sola receta para preparar un caldo. Los ingredientes que utilices depende de lo que tengas a mano, incluyendo las peladuras y extremos eliminados de las zanahorias, la parte superior de los apios e incluso las pieles de cebollas y ajos. Utiliza nuestra receta básica de Caldo de verduras clásico como punto de partida para experimentar con tus ingredientes.

Cuando utilices tubérculos como zanahorias, nabos y chirivías, no es necesario pelarlos, basta con que los laves bien. Para realzar el sabor de un caldo de verduras básico, añade champiñones secos y hierbas y especias frescas.

Cuando prepares verduras frescas, reserva las peladuras y otras sobras en una bolsa de plástico con cremallera, colócalas en el frigorífico y sigue añadiendo sobras a la bolsa. No es necesario desechar las zanahorias que estén blandas o los apios que ya no estén frescos, porque son perfectos para añadir al caldo.

Un caldo casero es fácil de preparar y más saludable, más gustoso y menos caro que la mayoría de las variedades comerciales. Después de prepararlo, puedes distribuirlo en recipientes de distintos tamaños y conservarlo en el frigorífico para tener siempre caldo de verduras a mano.

Nosotras utilizamos para el caldo las partes de las verduras que la gente suele desechar, como la parte superior del apio y el tallo del brócoli. Nos gusta disponer de nuestro caldo casero para utilizar en sopas. Sin embargo, para ahorrar tiempo, puedes adquirir caldo vegetal ecológico en la mayoría de los supermercados. Este caldo puede conservarse en el frigorífico una semana.

Para 6 personas

5 zanahorias, partidas por la mitad
4 tomates, partidos en cuartos
3 cebollas amarillas, partidas por la mitad
4 apios, con las hojas, partidos por la mitad
3 ramitas de perejil
4 dientes de ajo, picados
2 cucharaditas de sal marina
8 tazas de agua

1. Lleva todos los ingredientes a ebullición en un cazo grande.
2. Baja el fuego y tapa.
3. Cuece durante 1 hora a fuego lento.
4. Deja que el caldo se enfríe y cuélalo a través de un colador fino.

Sopa de maíz y anacardos

Las judías blancas y los anacardos dan una textura cremosa, sin ingredientes lácteos, a esta sopa de maíz dulce.

Para 4 personas

1 bote de 420 g de judías blancas, enjuagadas
½ taza de anacardos crudos (puestos en remojo 2 horas)
1 cebolla amarilla grande picada
2 apios picados
1 patata roja grande, pelada y cortada en trozos de 2 y ½ cm
5 mazorcas de maíz desgranadas
1 cucharadita de sal marina

1. Tritura las judías y los anacardos en la batidora hasta obtener una consistencia cremosa.
2. En una olla de 4 litros, lleva a ebullición la mezcla de judías, la cebolla, el apio, la patata, los granos de maíz, el caldo de verduras y la sal marina.
3. Baja el fuego y deja cocer suavemente unos 20 minutos. Sirve caliente.

Modifica la receta: Sustituye los anacardos por ½ taza de coliflor cruda.

Crema de champiñones

Los champiñones dan a esta sopa un sabor suculento y sustancioso.

Para 4 personas

3 tazas de caldo de verduras
½ taza de champiñones shitake, picados
¾ de taza de champiñones comunes cortados en rodajas
1 cebolla amarilla picada
2 cucharadas de zumo de lima
1 taza de nata de coco
1 cucharadita de sal marina
½ cucharadita de salvia
¼ de cucharadita d orégano
¼ cucharadita de tomillo

1. Lleva el caldo de verduras, los champiñones, la cebolla, el zumo de lima y la nata de coco a ebullición a fuego medio.
2. Baja el fuego y añade la sal marina, la salvia, el orégano y el tomillo.
3. Deja cocer 10 minutos a fuego lento y sirve enseguida.

Crema de tomate y albahaca

Esta sopa puede servirse caliente o fría.

Para 2 personas

1 cucharada de aceite de oliva
  virgen extra
1 cebolla amarilla mediana picada
2 dientes de ajo, picados
1 cucharadita de sal marina
¼ de cucharadita de pimienta negra
  molida

1 bote de 800 g de tomates enteros
1 taza de caldo de verduras
¼ de taza de albahaca fresca picada
1 cucharada de tomillo fresco
  picado
1 taza de leche de almendras

1. Calienta en una olla de 4 litros el aceite de oliva, la cebolla y el ajo a
   fuego lento, y remueve aproximadamente 1 minuto.
2. Añade la sal marina, la pimienta negra, los tomates (con su jugo), el
   caldo de verduras, la albahaca y el tomillo y lleva a ebullición.
3. Baja el fuego y deja cocer suavemente 10 minutos, removiendo de
   vez en cuando.
4. Añade la leche de almendras.
5. Pasa la sopa por el robot de cocina o la batidora y tritura hasta
   obtener una mezcla emulsionada.
6. Vierte de nuevo la sopa en la olla, calienta y sirve.

Sopa de garbanzos al curry

La canela y el curry prestan un sugestivo sabor a esta sopa de garbanzos.

Para 6-8 personas

1 cucharada de aceite de oliva
  virgen extra
1 taza de espinacas picadas
¼ de taza de cilantro picado
2 tomates medianos troceados
1 cebolla amarilla picada
1 cucharada de curry en polvo
1 cucharadita de canela

1 cucharadita de cúrcuma molida
½ cucharadita de chile en polvo
¼ de cucharadita de nuez moscada
1 bote de 420 g de garbanzos
4 tazas de caldo de verduras
1 y ¾ de taza de leche de coco
¼ de taza de cilantro picado para
  adornar

1. Coloca el aceite de oliva, las espinacas, el cilantro, los tomates y la cebolla en una olla grande y cuece a fuego medio suave 3 minutos, removiendo constantemente.
2. Añade el curry, la canela, la cúrcuma, el chile en polvo y la nuez moscada.
3. Prosigue con la cocción a fuego medio suave 2 minutos.
4. Añade los garbanzos, el caldo de verduras y la leche de coco.
5. Deja cocer a fuego medio suave 30 minutos. Sirve esta sopa caliente, adornada con el cilantro picado.

Sopa de tortilla de chips

Disfruta de las especias latinas en esta sabrosa sopa.

Para 4-6 personas

2 cucharadas de aceite de oliva virgen extra
1 cebolla amarilla mediana picada
4 dientes de ajo, picados
1 pimiento jalapeño, sin las semillas y cortado en rodajas finas
1 pimiento rojo morrón, sin las semillas y picado
1 taza de granos de maíz
6 tazas d caldo de verduras
1 bote de 650 g de tomates enteros
1 bote de 240 g de judías pintas (o 2 tazas de judías recién cocidas)
½ taza de cilantro fresco picado
1 cucharadita de sal marina
¼ de cucharadita de escamas de pimiento rojo
1 cucharada de comino molido
½ taza de aceitunas negras cortadas en rodajas
2 cucharadas de zumo de lima
2 tazas de tortilla de chips asados
½ taza de aguacate cortado en dados para adornar

1. Coloca el aceite de oliva, la cebolla, el ajo, el jalapeño, el pimiento rojo morrón y el maíz en una olla grande y remueve a fuego medio suave durante 1 minuto.
2. Añade el caldo de verduras, los tomates, las judías pintas y el cilantro.
3. Remueve a fuego medio suave durante 10 minutos.
4. Incorpora la sal marina, las tazas de caldo de pimiento rojo, el comino, las aceitunas y el zumo de lima.
5. Deja cocer a fuego medio suave 5 minutos.
6. Añade las tortillas de chips y sirve esta sopa caliente, adornada con el aguacate cortado en dados.

Gazpacho

No hay nada como una sopa fría en un día caluroso. Para sacar el máximo partido a esta sopa, colócala en el frigorífico la noche anterior para que los sabores de los ingredientes se mezclen.

Para 4-6 personas

8 tomates pera o reliquia frescos, habiendo retirado la mayoría de las semillas (o 6 tomates en conserva, escurridos, reservando el jugo, y troceados)
10 cebolletas picadas finas
1 pimiento amarillo morrón pequeño, descorazonado, sin las semillas y troceado
2 dientes de ajo picados
2 botes de 150 g de zumo de tomate bajo en sal
¼ de taza de concentrado de tomate

¼ de taza de aceite de oliva virgen extra
2 cucharadas de vinagre de vino tinto
4 cucharadas de zumo de limón recién exprimido
1 y ½ cucharadita de sal marina
¼ de cucharadita de pimienta cayena (o más si lo prefieres)
1 aguacate cortado en gajos, para adornar
¼ de taza de cilantro fresco, para adornar

1. Combina los tomates, las cebolletas, el pimiento morrón, el ajo, el zumo de tomate, el concentrado de tomate, el aceite, el vinagre, el zumo de limón, la sal y la cayena en un cuenco.
2. Tapa y coloca en el frigorífico la noche anterior.
3. Traslada la mitad de la mezcla a la batidora y tritura hasta obtener un puré de la consistencia deseada.
4. Vierte de nuevo la sopa en el cuenco y déjala en el frigorífico hasta el momento de servir.
5. Decora con el aguacate y las hojas de cilantro, y sirve fría.

Minestrone

¡Esta minestrone es un plato sustancioso! Algunas minestrones incluyen pasta. Para hacerlo, prepara 1 taza de tu pasta sin gluten preferida, añade la pasta cocida a la sopa y calienta antes de servir.

Para 4-6 personas

2 cucharadas de aceite de oliva virgen extra

1 cebolla grande picada

2 puerro, cortado en rodajas

4 dientes de ajo picados

2 calabacines picados

2 zanahorias medianas picadas

1 bote de 800 g de tomates troceados

1 y ½ taza de caldo de verduras

1 bote de 420 g de judías blancas, escurridas y enjuagadas

1 patata roja grande, cortada en trozos de aproximadamente 1 cm

1 y ½ taza taza de col verde picada

½ taza de judías verdes picadas menudas

2 cucharadas de albahaca fresca picada

2 cucharadas de perejil fresco picado

1 taza de pasta sin gluten cocida (opcional)

1. Coloca el aceite de oliva, la cebolla, el puerro y el ajo en una olla grande, y cuece a fuego medio suave 2 minutos, removiendo constantemente.
2. Añade los calabacines, las zanahorias y los tomates.
3. Cuece durante otros 2 minutos.
4. Incorpora el caldo de verduras, las judías, la patata, la col, las judías verdes, la albahaca y el perejil.
5. Deja cocer a fuego lento 45 minutos.
6. Añade la pasta, si la utilizas, y calienta la sopa durante otros 3 minutos. Sirve caliente.

Sopa de calabaza a la pimienta de Jamaica

La calabaza y las patatas yukón se combinan para crear una textura cremosa y un gustoso sabor.

Para 4-6 personas

1 cebolla amarilla picada

2 dientes de ajo, picados

2 zanahorias, partidas en rodajas

2 apios, cortados en dados

4 cucharadas de aceite de oliva virgen extra

8 tazas de caldo de verduras

1 bote de 800 g de puré de calabaza

6 patatas yukón doradas medianas,

peladas y cortadas en dados

1 cucharadita de canela

½ cucharadita de jengibre molido (o 1 cucharada de jengibre fresco picado)

½ cucharadita de pimienta de Jamaica

¾ de taza de semillas de calabas para adornar

1. Cuece la cebolla, el ajo, las zanahorias, el apio y el aceite de oliva en una olla grande a fuego medio suave, removiendo, durante 2 minutos.
2. Añade el caldo de verduras, el puré de calabaza y las patatas, y lleva a ebullición.
3. Baja el fuego y deja cocer suavemente 45 minutos.
4. Incorpora la canela, la nuez moscada, el jengibre y la pimienta de Jamaica.
5. Prosigue con la cocción a fuego medio suave durante 10 minutos.
6. Deja enfriar.
7. Pasa la sopa por el robot de cocina o la batidora hasta obtener una mezcla emulsionada.
8. Espolvorea por encima las semillas de calabaza y sirve caliente.

Sopa de pimientos rojos y ajo

El dulce pimiento morrón aromatizado al ajo hace de esta sabrosa sopa una de nuestras favoritas.

Para 2 personas

4 cabezas de ajo, sin la piel
4 pimientos rojos morrones grandes, sin las semillas y picados
2 y ½ taza de caldo de verduras
4 cucharadas de semillas de girasol

2 cucharadas de albahaca fresca picada
1 cucharadita de sal marina
¼ de cucharadita de pimienta negra

1. Cuece el ajo y el pimiento rojo al vapor unos 5 minutos.
2. Pasa el caldo de verduras, el ajo, el pimiento rojo, las semillas de girasol, la albahaca, la sal marina y la pimienta negra por la batidora y tritura hasta obtener una mezcla emulsionada.
3. Calienta a fuego medio suave en una olla mediana durante unos 5 minutos. Sirve caliente.

Sopa de col de Saboya

La col de Saboya tiene un sabor menos intenso que la col verde y da a esta sopa un delicado sabor.

Para 4 personas

3 cucharadas de aceite de oliva
   virgen extra
1 col de Saboya mediana picada
2 apios, cortados en rodajas
1 cebolla amarilla picada
3 dientes de ajo, partidos por la
   mitad

5 tazas de caldo de verduras
½ taza de arroz integral
1 cucharadita de sal marina
½ taza de queso mozzarella vegana
   para adornar (opcional)

1. Coloca el aceite de oliva, la col, el apio, la cebolla y el ajo en una olla
   grande y remueve a fuego medio suave durante 3 minutos.
2. Añade el caldo de verduras, el arroz y la sal marina y lleva a
   ebullición.
3. Baja el fuego y deja cocer a fuego lento unos 20 minutos.
4. Adorna con el queso mozzarella vegano, si lo utilizas, y sirve caliente.

Sopa de lentejas rojas picante

La quinoa es una semilla con un alto contenido en proteínas que se
encuentra en muchos productos sin gluten debido a su consistencia
semejante a un cereal. Esta semilla procede de una planta del géne-
ro *Chenopodium*, que comprende también la acelga y la espinaca.

Para 4 personas

2 cucharadas de aceite de oliva
   virgen extra
1 puerro grande, partido en cuartos
   y picado (1 y ½ taza)
3 dientes de ajo, picados
3 tazas de tomates troceados
   (o 1 bote de 420 g de tomates
   troceados)
1 pimiento rojo morrón, cortado
   en dados

¾ de taza de lentejas rojas
¼ de taza de quinoa
6 tazas de caldo de verduras
1 cucharadita de cúrcuma
½ cucharadita de chile en polvo
1 cucharadita de sal marina
¼ de cucharadita de pimienta negra
   molida
2 cucharadas de zumo de limón

1. Coloca el aceite de oliva y los puerros en una olla grande, y remueve
   a fuego lento unos 2 minutos.
2. Añade el ajo, los tomates, el pimiento rojo, las lentejas y la quinoa, y
   deja cocer a fuego lento otros 2 minutos.

3. Incorpora el caldo de verduras y prosigue la cocción, a fuego medio suave, 15 minutos.
4. Añade la cúrcuma, el chile en polvo, la sal marina, la pimienta negra y el zumo de limón.
5. Deja cocer a fuego medio suave 5 minutos y sirve caliente.

Sopa de kale picante

El kale pertenece a la familia de las crucíferas y contiene un antioxidante denominado ácido alfa lipólico, que aporta un alto contenido en fibra, potasio, vitamina C y vitamina B_6, los cuales son muy beneficiosos para el cerebro.

Para 4 personas

1 y ½ taza de kale picado
½ taza de semillas de calabaza
2 y ½ tazas de caldo de verduras
3 cucharadas de zumo de limón
¼ de taza de zumo de manzana
1 aguacate Hass, machacado
1 cucharada de jengibre fresco pelado y picado
1 cucharadita de chile en polvo
1 y ½ cucharadita de sal marina

¼ de cucharadita de pimienta negra
⅓ de cucharadita de cúrcuma
1 cucharada de aceite de coco
1 cucharada de tamari o salsa de soja sin gluten
1 cucharada de cilantro fresco, picado, para adornar
½ taza de pimiento rojo morrón cortado en dados para adornar

1. Pasa el kale, las semillas de calabaza, el caldo de verduras, el zumo de limón, el zumo de manzana, el aguacate, el jengibre, el chile en polvo, la sal marina, la pimienta negra, la cúrcuma, el aceite de coco y la salsa de soja por la batidora, y tritura hasta obtener una consistencia cremosa.
2. Cuece la mezcla en una olla grande a fuego medio suave 15 minutos, removiendo de vez en cuando.
3. Adorna con el cilantro y el pimiento rojo en dados, y sirve caliente.

Sopa primaveral de verduras

Añade los espárragos a la sopa hacia el final de la cocción porque si están demasiado hechos pueden resultar fibrosos. Los sabores estacionales de la primavera se combinan a la perfección en esta sopa.

Para 4 personas

½ kg de puerros, cortado en dados (4 y ½ tazas)
6 cebolletas, cortadas en rodajas
1 taza de zanahorias cortadas en dados
2 cucharadas de aceite de oliva virgen extra
5 tazas de caldo de verduras
1 taza de judías verdes partidas en rodajas
1 taza de calabacines secos
1 taza de guisantes frescos o congelados
1 taza de espárragos partidos en rodajas
4 dientes de ajo, picados
1 cucharada de perejil picado
2 cucharadas de albahaca fresca picada

1. Coloca los puerros, las cebolletas, las zanahorias y el aceite de oliva en una olla grande y cuece, tapada y a fuego lento, sin dejar de remover, durante 3 minutos.
2. Añade el caldo de verduras y lleva a ebullición.
3. Baja el fuego y deja cocer a fuego lento 10 minutos.
4. Incorpora las judías verdes, los calabacines, los guisantes, los espárragos, el ajo, el perejil y la albahaca.
5. Cuece a fuego medio 15 minutos y sirve caliente.

Sopa de acelgas y tomates secos

La acelga pertenece a la misma familia que la remolacha y la espinaca. Cuando la cueces al vapor, esta verdura de hoja verde añade un marcado sabor a esta sopa.

Para 6 personas

2 cucharadas de aceite de oliva virgen extra
1 cebolla amarilla mediana picada (1 taza)
4 dientes de ajo picados
2 zanahorias medianas, partidas en rodajas (1 taza)
2 apios, picados (½ taza)
2 tazas de caldo de verduras
2 botes de 420 g de tomates cortados en dados
1 bote de 420 g de judías, enjuagadas y escurridas
½ taza de albahaca fresca picada
½ taza de tomates secos picados
½ manojo de acelgas picadas (aproximadamente 1 taza)

1. Echa el aceite de oliva, la cebolla, el ajo, las zanahorias y el apio en una olla grande, y remueve a fuego medio suave durante 3 minutos.

2. Añade el caldo de verduras, los tomates en dados, las judías, la albahaca, los tomates secos y las acelgas, y cuece a fuego medio durante 15 minutos.
3. Deja enfriar.
4. Pasa la sopa fría por el robot de cocina y tritura hasta obtener un puré homogéneo.
5. Vierte la sopa de nuevo en la olla y cuece a fuego medio suave durante 5 minutos. Sirve caliente.

Sopa de remolachas

Unos científicos de la Wake Forest University y unos investigadores del Translational Science Center constataron que la remolacha puede incrementar la circulación sanguínea en la zona del cerebro relacionada con la demencia y mejorar el rendimiento intelectual. La remolacha es también una buena fuente de potasio y hierro. Cuando prepares una receta con remolachas, conviene que utilices guantes de goma para evitar mancharte con ellas.

Para 6 personas

1 kg y ½ de remolachas frescas, limpias, peladas y picadas
1 cebolla amarilla grande picada
2 zanahorias picadas
1 pimiento rojo morrón picado
2 cucharadas de aceite de oliva virgen extra

2 tazas de zumo de manzana
2 tazas de caldo de verduras
1 cucharadita de estragón seco
1 cucharada de albahaca fresca picada (o 1 cucharadita seca)
1 cucharadita de sal marina
¼ de cucharadita de pimienta negra

1. Precalienta el horno a 180 °C.
2. En un cuenco grande, mezcla las remolachas, la cebolla, las zanahorias y el pimiento rojo con el aceite de oliva.
3. Coloca la mezcla de verduras en una fuente de horno.
4. Reduce la temperatura del horno a 120 °C.
5. Hornea durante 40 minutos.
6. En una olla grande, cuece el zumo de manzana, el caldo de verduras y las verduras horneadas durante 10 minutos a fuego medio suave.
7. Incorpora el estragón, la albahaca, la sal marina y la pimienta negra.
8. Deja enfriar.

9. Pasa la sopa fría por el robot de cocina y tritura hasta obtener una mezcla emulsionada.
10. Vierte la sopa de nuevo en la olla y cuece a fuego medio durante 5 minutos. Sirve caliente.

Sopa de guisantes

Esta receta lleva más tiempo porque hay que poner los guisantes en remojo 7 horas antes de cocerlos. Muchas sopas de guisantes incorporan jamón; esta versión vegetal combina los sabores dulces de los guisantes y el boniato junto con el toque picante de los chile chipotle.

Para 6 personas

1 taza de guisantes desgranados
2 cucharadas de aceite de oliva virgen extra
2 cebollas medianas cortadas en dados (aproximadamente 3 tazas)
4 dientes de ajo picados
1 pimiento verde pequeño cortado en dados
4 apios cortados en dados (1 taza)
1 boniato grande, pelado y cortado en dados
1 bote de 400 g de tomates cortados en dados
1 cucharada de chile chipotle picado
1 cucharadita de sal marina
1 cucharadita de páprika
6 tazas de agua

1. Deja los guisantes en remojo en un cuenco grande con agua fría la noche anterior (unas 7 horas).
2. Echa el aceite, la cebolla, al ajo, el pimiento verde y el apio en una olla grande y remueve a fuego lento unos 3 minutos.
3. Añade el boniato, los tomates en dados, el chile, la sal marina y la páprika.
4. Coloca los guisantes en una olla grande con 6 tazas de agua y lleva a ebullición.
5. Baja el fuego y deja cocer a fuego lento 1 hora.
6. Añade la mezcla de verduras y cuece a fuego lento 15 minutos. Sirve caliente.

Sabrosa sopa de guisantes con estragón

El estragón confiere a esta sopa un sabor a regaliz (anisado). Puede servirse caliente o fría.

Para 4 personas

2 cucharadas de aceite de oliva virgen extra
2 puerros medianos, las partes blancas y verde claro cortadas en rodajas finas (1 y ½ taza)
2 apios cortados en rodajas
2 dientes de ajo picados

2 y ½ taza de caldo de verduras
3 tazas de guisantes frescos o congelados
1 cucharada de hojas de estragón picadas
½ cucharadita de sal marina
⅓ de cucharadita de pimienta negra

1. Echa el aceite de oliva, los puerros, el apio y el ajo en una olla grande y remueve a fuego medio suave unos 2 minutos.
2. Añade el caldo de verduras y los guisantes.
3. Deja cocer a fuego lento 10 minutos.
4. Retira del fuego y deja enfriar.
5. Pasa la sopa fría y las hojas de estragón por el robot de cocina o la batidora y tritura hasta obtener una mezcla emulsionada.
6. Incorpora la sal marina y la pimienta.
7. Vierte la sopa de nuevo en la olla y caliente a fuego medio suave 5 minutos. Sirve caliente.

Sopa de quinoa

La quinoa aporta un alto contenido en proteínas, fibra, magnesio y hierro. El hierro contribuye a aumentar la función cerebral.

Para 6-8 personas

3 dientes de ajo picados
1 cebolla amarilla mediana picada
1 cucharadita de comino molido
2 cucharadas de aceite de oliva virgen extra
6 tazas de caldo de verduras
1 zanahoria grande cortada en dados

¾ de taza de quinoa, lavada y escurrida
3 tazas de granos de maíz frescos o congelados
1 bote de 420 g de judías pintas
½ taza de pimiento rojo morrón, cortado en dados
½ cucharadita de pimienta cayena

1 cucharadita de sal marina ¼ de taza de cilantro picado
1 cucharada de zumo de lima

1. Echa el ajo, la cebolla, el comino y el aceite de oliva en una olla grande y remueve a fuego lento aproximadamente 1 minuto.
2. Añade el caldo de verduras, la zanahoria, la quinoa, el maíz, las judías, el pimiento rojo, la pimienta cayena y la sal marina.
3. Cuece a fuego medio suave 20 minutos.
4. Incorpora el zumo de lima y el cilantro y sirve caliente.

Sopa de sandía y pepino

La albahaca fresca y el perejil añaden unos fantásticos sabores a esta sopa fría, dulce y salada. El vinagre de vino tinto compensa la dulzura de la sandía.

Para 6 personas

8 tazas de sandía (una sandía de dos kilos y medio), cortada en dados pequeños
1 pepino mediano sin las semillas y picado fino
½ taza de pimiento rojo morrón picado
¼ de taza de albahaca fresca picada
¼ de taza de perejil picado
3 cucharadas de vinagre de vino tinto
2 cucharadas de cebolleta picada
2 dientes de ajo picados
2 cucharadas de aceite de oliva virgen extra
¾ de cucharadita de sal marina

1. Mezcla la sandía, el pepino, el pimiento morrón, la albahaca, el perejil, el vinagre, la cebolleta, el ajo, el aceite de oliva y la sal marina en un cuenco grande.
2. Pasa 3 tazas de la mezcla por la batidora o el robot de cocina y tritura hasta obtener un puré homogéneo.
3. Traslada a un cuenco grande.
4. Tritura otras 3 tazas de la mezcla.
5. Añade a la sopa.
6. Incorpora el resto de la mezcla.
7. Coloca en el frigorífico 1 hora como mínimo antes de servir.

PRIMOROSOS POSTRES Y SNACKS

Cuando una receta requiera coco rallado sin azúcar, puedes utilizar coco sin azúcar bajo en grasa y obtener el mismo sabor.

Cuando la receta de una tarta requiera utilizar anacardos para el relleno, puedes poner los anacardos previamente en remojo o no. Los anacardos puestos en remojo suelen incrementar el valor nutricional del fruto.

Puedes sustituir en cualquier receta cantidades equivalentes de jarabe de arce por miel o azúcar de coco.

Bocaditos de albaricoques y almendras

Galletas de almendras con teff

Pastel crujiente de manzana y canela

Galletas de plátano y chía

Magdalenas de plátano y nueces

Deliciosa tarta de queso con arándanos

Budín de arándanos y chía

Magdalenas de arándanos

Polos de sandía y arándanos

Brownies de dulce de algarroba

Ganola de coco y anacardos

Bocaditos fríos de coco y algarroba

Galletas clásicas de avena y pasas

Galletas de coco y nueces de Macadamia

Crujientes bocaditos de arroz

Cuadrados de dátiles de doble energía

Granola de frutos secos sin cereales

Galletas de avellana

Tarta de queso de limón y coco

Bocaditos de limón
Barritas de limón y frambuesa
Bolitas de frutos secos y jarabe de arce
Galletas de mantequilla de cacahuete
Tarta de ensueño de mantequilla de cacahuete
Dulce de mantequilla de cacahuete
Tarta crujiente de peras e higos
Tarta de queso con pistachos
Sabrosas galletas de calabaza
Magdalenas de calabaza y pecanas
Dulce tropical
Kebabs de frutas tropicales

Bocaditos de albaricoques y almendras

Este dulce y divertido postre de albaricoques secos con almendras puede conservarse en el frigorífico una semana. Pon los albaricoques secos en remojo en un poco de agua durante 10 minutos para ablandarlos.

Para 20 bolitas

1 taza de almendras	12 albaricoques secos (sin sulfitos)
1 taza de pasas	picados
½ cucharadita de canela	½ taza de coco rallado sin azúcar

1. Tritura las almendras, las pasas y la canela en un robot de cocina hasta obtener una mantequilla de almendras espesa y homogénea,
2. Añade los albaricoques picados y tritura otros 30 segundos.
3. Agrega el coco y tritura otros 10 segundos.
4. Forma las bolitas de una en una con una cucharada de masa. Sirve a temperatura ambiente o frías.

Modifica la receta: Sustituye las almendras por anacardos. Sustituye las pasas por ¾ de taza de dátiles picados.

Galletas de almendras con teff

Estas galletas de mantequilla de almendras están elaboradas con harina de teff, que les da una textura semejante a las galletas de mantequilla tradicionales. La harina de teff es un cereal que no contiene gluten y tiene un ligero sabor a nueces. Es posible que las galletas presenten un aspecto blando cuando las saques del horno, pero a medida que se sequen adquirirán una consistencia firme.

Para 35-40 galletas

1 y ¼ de taza de harina de teff
½ cucharadita de canela
½ cucharadita de levadura en polvo
    sin aluminio
½ taza de miel

½ taza de aceite de coco
1 cucharadita de extracto de
    almendras
1 taza de mantequilla de almendras
35-40 almendras crudas

1. Precalienta el horno a 180 °C.
2. En un cuenco grande, combina la harina de teff, la canela y la levadura en polvo.
3. En un cuenco mediano, mezcla la miel, el aceite de coco, el extracto de almendras y la mantequilla de almendras.
4. Incorpora los ingredientes húmedos a la mezcla seca y mezcla bien.
5. Forma con la masa unas bolitas del tamaño de una nuez.
6. Dispón las bolitas en una fuente de horno y coloca una almendra sobre cada galleta, presionando suavemente.
7. Reduce la temperatura del horno a 120 °C.
8. Hornea durante unos 20 minutos.

Modifica la receta: Sustituye la harina de teff por harina de avena y reduce el aceite de coco a ¼ de taza.

Sustituye la mantequilla de almendras por mantequilla de semillas de anacardos o de girasol.

Pastel crujiente de manzana y canela

Para esta receta conviene utilizar una variedad de manzanas verdes, como Granny Smith o reinetas ecológicas.

1 taza de copos de avena

1 taza de harina de avena

¾ de taza de nueces picadas
¾ de taza de jarabe de arce puro
⅓ de taza de aceite de girasol
1 cucharada de canela molida

1 cucharadita de extracto de vainilla
4 tazas de manzanas sin pelar
   cortadas en dados

1. Precalienta el horno a 180 °C.
2. Engrasa ligeramente una fuente de horno de 15 × 30 centímetros y reserva.
3. Combina los copos, la avena, las nueces, el jarabe de arce, el aceite, la canela y la vainilla en un cuenco grande y reserva.
4. Coloca los dados de manzana en el fondo de la fuente de horno preparada y cubre con la mezcla de avena.
5. Reduce la temperatura del horno a 120 °C.
6. Hornea 50 minutos. Sirve caliente o a temperatura ambiente.

Modifica la receta: Sustituye los copos de avena por copos de quinoa. Sustituye las nueces por anacardos y añade ½ taza de pasas.

Galletas de plátano y chía

Es una galleta húmeda que sabe mejor recién salida del horno. Es un excelente sándwich de galletas para el desayuno con unas rodajas de plátano y mantequilla de cacahuete. Nos gusta añadir semillas de girasol a la mezcla, como sugerimos en Modifica la receta, para darle un toque más crujiente.

Para 20 galletas

2 plátanos maduros machacados
½ taza de compota de manzana sin azúcar
¾ de taza de azúcar de coco
¼ de taza de semillas de chía

½ taza de harina de avena
1 taza de copos de avena
1 cucharadita de canela
1 cucharadita de extracto de vainilla
1 cucharadita de levadura en polvo

1. Precalienta el horno a 180 °C.
2. Coloca los plátanos en un cuenco grande y añade la compota de manzana, el azúcar de coco y las semillas de chía y remueve.
3. Incorpora la harina de avena, los copos, la canela, la vainilla y la levadura en polvo y remueve.
4. Coloca unas cucharadas de la mezcla en una fuente de horno engrasada.
5. Reduce la temperatura del horno a 120 °C.

6. Hornea las galletas durante 15-20 minutos. (Cuando estén hechas tendrán una textura ligeramente firme.)

Modifica la receta: Añade ½ taza de semillas de girasol crudas.

Magdalenas de plátano y nueces

Estas deliciosas magdalenas de plátano húmedas aportan un alto contenido en potasio y las nueces constituyen una rica fuente de omega-3.

Para 10-12 magdalenas

1 y ½ taza de harina de avena
½ taza de harina de arroz integral
2 cucharaditas de levadura en polvo
1 cucharadita de bicarbonato de
 soda
1 cucharadita de canela

3 plátanos maduros machacados
¾ de taza de jarabe de arce
½ taza de aceite de coco (en estado
 líquido)
1 cucharadita de extracto de vainilla
1 taza de nueces picadas

1. Precalienta el horno a 180 °C.
2. Combina las harinas, la levadura en polvo, el bicarbonato de soda y la canela en un cuenco mediano.
3. Remueve los plátanos machacados, el jarabe de arce, el aceite de coco y la vainilla en un cuenco grande hasta mezclar bien todos los ingredientes.
4. Añade la mezcla de harina a la mezcla de plátanos y remueve para formar una masa espesa.
5. Incorpora las nueces.
6. Dispón unas 2 cucharadas colmadas de la masa en los huecos de un molde de magdalenas engrasado o forrado con papel.
7. Reduce la temperatura del horno a 120 °C.
8. Hornea las magdalenas 35 minutos o hasta que al pincharlas con un palillo éste salga limpio.
9. Deja enfriar las magdalenas 10 minutos como mínimo antes de desmoldarlas.

Modifica la receta: Espolvorea copos de coco sobre cada magdalena. Sustituye las nueces por ⅓ de taza de semillas de chía o pecanas.

Deliciosa tarta de queso con arándanos

Los arándanos, los anacardos y el aceite de coco son unos alimentos muy potentes para el cerebro, y dan a esta tarta cruda de queso vegano un maravilloso sabor. Puedes poner en remojo los anacardos 2 horas antes, porque las semillas y los frutos secos crudos puestos en remojo incrementan su valor nutricional. Cuando partas esta tarta, recomendamos que utilices un cuchillo para mantequilla y saques con cuidado el primer trozo. De esta forma podrás sacar los otros con facilidad. Antes de servir cada porción nos gusta adornarla con unos arándanos frescos.

Para 6 personas

La masa:

⅔ de taza de almendras   1 cucharada de agua
⅔ de taza de pecanas
⅓ de taza de dátiles deshuesados y
   picados

El relleno:

½ taza de agua   ½ taza de aceite de coco (en estado
1 y ½ taza de anacardos crudos   líquido)
⅓ de taza de jarabe de arce   1 taza de arándanos frescos (o
2 cucharaditas de harina de linaza   congelados)
1 cucharadita de extracto de vainilla

1. Tritura las almendras en el robot de cocina hasta darles una consistencia harinosa.
2. Añade las pecanas y los dátiles, y tritura hasta que los dátiles se amalgamen con el resto de la masa.
3. Incorpora el agua y tritura para mezclar todos los ingredientes.
4. Dispón la mezcla en el fondo de una fuente de horno de 25 centímetros.
5. Coloca la masa en el frigorífico mientras preparas el relleno.
6. Pasa el agua, los anacardos, el jarabe de arce, la harina de linaza y la vainilla por una batidora hasta obtener una mezcla emulsionada.
7. Añade el aceite de coco y los arándanos, y tritura bien.
8. Vierte el relleno sobre la pasta fría.
9. Coloca en el congelador al menos 3 horas.
10. Traslada la tarta al frigorífico y déjala unas horas. Sirve fría.

Budín de arándanos y chía

Este budín no requiere hornearlo y posee el sabor dulce y delicado del budín de tapioca. En lugar de utilizar yogur, prueba este postre con fruta fresca y Granola de coco y anacardos (página 184). Nosotras preferimos utilizar leche de almendras sin azúcar en esta receta.

Para 2 personas

1 taza de leche no láctea
2 cucharadas de azúcar de coco
1 cucharadita de extracto de vainilla

4 cucharadas de semillas de chía
½ taza de arándanos

1. En un cuenco pequeño, combina la leche, el azúcar de coco y la vainilla.
2. Añade las semillas de chía y remueve bien.
3. Vierte la mezcla en dos tazas o tarros de cristal y colócalos en el frigorífico, tapados con film transparente, la noche anterior o hasta que el budín alcance el filme deseado, removiendo de vez en cuando.
4. Incorpora los arándanos o espolvorea un puñadito de arándanos sobre la mezcla y sirve.

Modifica la receta: Sustituye los arándanos por frambuesas o fresas.
Espolvorea una mezcla de nueces o semillas por encima.
Sustituye los arándanos por un plátano cortado en rodajas.
Sustituye el azúcar de coco por jarabe de arce o miel.

Magdalenas de arándanos

¡Los arándanos son nuestra fruta más potente para el cerebro! Estas esponjosas magdalenas son tan ligeras que prácticamente se funden en la boca.

Para 12 magdalenas

1 y ¼ de taza de harina de arroz integral
¾ de taza de harina de avena
1 cucharadita de bicarbonato de soda

½ cucharadita de levadura en polvo
1 cucharadita de canela molida
3 tazas de arándanos frescos
1 taza de miel (o jarabe de arce)
½ taza de leche de almendras

¼ de taza de aceite de aguacate o   1 cucharadita de extracto de vainilla
aceite de semillas de girasol

1. Precalienta el horno a 180 °C.
2. Combina la harina de arroz, la harina de avena, el bicarbonato de soda, la levadura en polvo y la canela en un cuenco mediano.
3. Añade los arándanos y remueve bien.
4. Coloca la miel, la leche de almendras, el aceite y la vainilla en un cuenco grande, y remueve hasta que quede bien mezclado.
5. Añade la mezcla de harina a la mezcla líquida y remueve para formar una masa espesa.
6. Coloca unas 2 cucharadas colmadas de la masa en los huecos del molde para magdalenas engrasado o forrado con papel.
7. Reduce la temperatura del horno a 120 °C.
8. Hornea las magdalenas durante 30 minutos, o hasta que las pinches con un palillo y salga limpio.
9. Deja enfriar las magdalenas 10 minutos como mínimo antes de desmoldarlas.

Modifica la receta: Añade ½ taza de nueces o el tipo de frutos secos o semillas que prefieras.
Añade ½ taza de manzana cortada en dados.

Polos de sandía y arándanos

Estos polos naturalmente dulces son muy refrescantes. Utiliza moldes para polos sin BPA (como los Tovolo Groovy Ice Pop Molds, que puedes adquirir online). Para retirar los polos de los moldes, colócalos unos minutos bajo el chorro de agua tibia para que se desprendan.

Para 6 polos

2 tazas de sandía sin semillas   2 plátanos cortados en rodajas
troceada   ½ taza de arándanos congelados

1. Pasa los trozos de sandía por el robot de cocina o la batidora y tritura hasta obtener un puré.
2. Divide los plátanos y los arándanos en seis porciones.
3. Coloca las porciones de fruta en cada uno de los seis moldes para polos. (Utiliza el palito del polo para presionar la fruta contra el fondo.)

4. Llena los moldes con el puré de sandía, inserta los palitos y coloca en el frigorífico.

Modifica la receta: Sustituye los arándanos por frambuesas.

Brownies de dulce de algarroba

¡Nos encanta la algarroba! La algarroba es naturalmente dulce, no amarga como el chocolate y no contiene cafeína. Aporta un alto contenido en fibra y proteínas y favorece la digestión.

Para 12 brownies:

2 y ½ taza de harina de avena
¾ de taza de algarroba en polvo
1 cucharadita de levadura en polvo
1 y ¾ de taza de miel
¾ de taza de agua

¾ de taza de aceite de cártamo o de girasol
½ taza de nueces picadas
1 cucharadita de extracto de vainilla

1. Precalienta el horno a 180 °C.
2. Engrasa ligeramente una fuente de horno de 30 × 20 centímetros y reserva.
3. Combina la harina, la algarroba en polvo y la levadura en polvo en un cuenco mediano, y reserva.
4. Echa la miel, el agua, el aceite, las nueces y la vainilla en un cuenco grande y remueve hasta que los ingredientes queden bien mezclados.
5. Añade la mezcla de harina a la mezcla de miel y remueve hasta obtener una masa homogénea.
6. Toma la masa con una cuchara y extiende en una capa uniforme en la fuente de horno preparada.
7. Reduce la temperatura del horno a 120 °C.
8. Hornea 30 minutos o hasta que al pinchar la masa con un palillo este salga limpio.
9. Coloca en el frigorífico 10 minutos como mínimo antes de cortarla en unos cuadraditos y servir.

Modifica la receta: Sustituye la harina de avena por quinoa o harina de arroz.

Sustituye las nueces por pecanas, anacardos o pasas.

Sustituye el aceite de semillas de girasol por aceite de nueces de Macadamia o aceite de coco.

184 La alimentación que cuida tu memoria

Sustituye la miel por jarabe de arce.
Sustituye el aceite por campota de manzanas.

Granola de coco y anacardos

Esta granola está muy rica con leche o yogures no lácteos, con fruta fresca o un revuelto de frutos secos con que preparar un snack perfecto que puedes llevar contigo. Para que las pasas no se encojan, incorpóralas a la mezcla después de hornearla. Deja que la granola se enfríe por completo antes de trasladarla a un recipiente hermético o a una bolsa de plástico con cremallera. Puedes conservarla en la despensa una semana o 3 meses en el congelador.

Para aproximadamente 6 tazas

5 tazas de copos de avena
2 tazas de coco rallado sin azúcar
1 taza de anacardos crudos
¼ de taza de semillas de sésamo
1 cucharadita de canela

⅔ de taza de aceite de coco o aceite de semillas de girasol
¾ de taza de miel
1 cucharada de extracto de vainilla
1 taza de pasas

1. Precalienta el horno a 180 °C.
2. Echa los copos de avena, el coco, los anacardos, las semillas de sésamo y la canela en un cuenco grande y remueve con un tenedor.
3. En un cazo mediano, cuece el aceite de coco y la miel a fuego lento hasta que se mezclen bien.
4. Vierte la mezcla de miel sobre la mezcla de avena y remueve bien.
5. Añade la vainilla.
6. Reduce la temperatura del horno a 120 °C.
7. Extiende la mezcla en una fuente de horno.
8. Hornea unos 12 minutos, removiendo la mezcla con cuidado con un cuchillo para mantequilla o una espátula, y hornea otros 10 minutos.
9. Incorpora las pasas.

Modifica la receta: Añade ½ taza de semillas de calabaza y 10 higos secos cortados en dados.
Sustituye los anacardos por pistachos, almendras laminadas, nueces, avellanas, nueces de Macadamia o pecanas.
Sustituye la miel por jarabe de arce.
Añade 1 cucharada de extracto de almendras y ½ taza de almendras laminadas.

Sustituye los copos de avena por copos de quinoa o copos de amaranto.

Sustituye el aceite de coco por aceite de nueces de Macadamia. (No es necesario calentar el aceite para que adquiera un estado líquido. Mezcla el aceite con la miel, agrega a los ingredientes secos y remueve).

Bocaditos fríos de coco y algarroba

Estos dulces y crujientes bocaditos no necesitan hornearse y son un refrescante snack en una tarde calurosa. Este tipo de pastelito suele hacerse con coco, pero a nosotras nos gusta utilizar algarroba para obtener un sabor dulce e intenso.

Para 14-16 bolitas:

3 tazas de coco sin azúcar, rallado
½ taza de algarroba en polvo
½ taza de aceite de coco
½ taza de miel sin refinar

¼ de taza de mantequilla de almendras
1 cucharada de extracto de vainilla

1. En un cuenco mediano, combina el coco y la algarroba, removiendo bien con un tenedor.
2. En otro cuenco mediano mezcla el aceite de coco, la miel y la mantequilla de almendras, y bate hasta obtener una masa cremosa.
3. Añade la mezcla de coco a la mezcla de miel.
4. Incorpora el extracto de vainilla y remueve hasta que la mezcla se humedrezca.
5. Toma unas cucharadas de la mezcla y forma unas bolitas de 2 y ½ centímetro.
6. Coloca las bolitas en un plato o un recipiente de cristal.
7. Coloca en el frigorífico 20 minutos como mínimo, hasta que estén bien frías.

Modifica la receta: Añade un plátano maduro machacado.

Sustituye la mantequilla de almendras por mantequilla de semillas de girasol o de cacahuete.

Galletas clásicas de avena y pasas

Una mezcla perfecta de canela y pasas hace de estas galletas un snack navideño ideal.

1 y ½ taza de harina de avena

1 cucharadita de levadura en polvo

1 cucharada de canela molida

3 tazas de copos de avena

1 taza de pasas

½ taza de nueces (opcional)

1 taza de miel

⅔ de taza de aceite de coco

1 cucharada de extracto de vainilla

1. Precalienta el horno a 180 °C.
2. Engrasa ligeramente una fuente para hornear galletas y reserva.
3. Combina la harina, la levadura en polvo y la canela en un cuenco mediano.
4. Añade la avena, las pasas y las nueces y remueve hasta que los ingredientes queden bien distribuidos.
5. Remueve la miel, el aceite y la vainilla hasta obtener una mezcla homogénea.
6. Incorpora la mezcla de harina a la mezcla de miel y remueve hasta obtener una masa espesa y melosa.
7. Dispón unas cucharadas circulares de la masa, con unos 3 centímetros de separación, en la fuente de horno preparada.
8. Reduce la temperatura del horno a 120 °C.
9. Hornea durante 15-20 minutos.
10. Enfría las galletas unos minutos antes de retirarlas de la fuente de horno. Sirve calientes.

Modifica la receta: Añade 1 taza de semillas de girasol o coco rallado sin azúcar.

Sustituye el aceite por compota de manzana.

Galletas de coco y nueces de macadamia

Estas sabrosas galletas no contienen mantequilla ni huevos, pero tienen un sabor intenso y delicioso semejante a los macarons.

Para 30 galletas

1 y ¼ de taza de harina de avena

1 y ⅓ de taza de coco sin azúcar rallado

½ taza de aceite de coco

¾ de taza de miel sin refinar

1 cucharadita de levadura en polvo

1 cucharadita de extracto de vainilla

½ taza de nueces de Macadamia picadas

1. Precalienta el horno a 180 °C.
2. En un cuenco mediano mezcla la harina y el coco removiendo bien.

3. En otro cuenco, mezcla el coco y la miel removiendo bien.
4. Añade la mezcla de harina a la mezcla de miel.
5. Incorpora la levadura en polvo, la vainilla y las nueces de Macadamia.
6. Dispón unas cucharadas de la masa de las galletas en una fuente de horno, dejando espacio suficiente para que las galletas se ensanchen al hornearse.
7. Reduce la temperatura del horno a 120 °C.
8. Hornea durante 20 minutos.

Modifica la receta: Sustituye las nueces de Macadamia por nueces pecanas.

Crujientes bocaditos de arroz

Estos crujientes bocaditos de arroz pueden elaborarse con cualquier tipo de mantequilla de frutos secos, incluyendo la mantequilla de semillas de girasol. Nosotras utilizamos mantequilla de cacahuete sin sal. Lee las etiquetas en las mantequillas de frutos secos para evitar ingredientes innecesarios como azúcar, aceites hidrogenados y sal. Después de cortar estos bocaditos en cuadrados, guárdalos en un recipiente hermético. Puedes conservarlos en el frigorífico una semana o tres meses en el congelador. ¡Nos encanta consumir estos bocaditos congelados!

Para 16 cuadrados de 3 cm

4 tazas de crujiente cereal de arroz integral
½ taza de pasas
¾ de tazas de miel sin refinar

1 taza de mantequilla de cacahuete
1 cucharadita de extracto de vainilla

1. Coloca el cereal y las pasas en un cuenco grande.
2. Calienta la miel y la mantequilla de cacahuete en un cazo mediano a fuego lento unos 2 minutos, hasta que la mezcle quede bien emulsionada y cremosa.
3. Añade la vainilla y retira del fuego.
4. Vierte la mezcla caliente sobre la mezcla de cereales y pasas y remueve bien hasta que la mezcla quede bien amalgamada.
5. Vierte la mezcla en una fuente de horno de cristal de 25 × 35 centímetros (o 25 × 25 centímetros) y extiende de modo uniforme

con una espátula o cuchillo para mantequilla. (La masa es pegajosa. Humedécete las manos para presionarla uniformemente.)

6. Coloca en el frigorífico 1 hora como mínimo o hasta que la masa adquiera una consistencia firme.

7. Corta la masa en cuadrados de 3 centímetros con un cuchillo afilado.

Modifica la receta: Sustituye las pasas por cualquier tipo de fruta sin sulfitos como piña, arándanos, mango, manzanas y albaricoques.

Añade ½ taza de semillas de girasol, semillas de sésamo, linaza, semillas de chía o de calabaza.

Añade ½ taza de copos de coco sin azúcar o rallado.

Cuadrados de dátiles de doble energía

Evita las barritas de granola industriales y cómete un Cuadrado de Dátiles de doble energía. Perfecto como snack para llevar contigo o calentado y con un sorbete vegano encima. Deja que se enfríen antes de cortarlas en unas barritas.

Para 12 barritas

1 taza de dátiles enteros y deshuesados (unos 10 dátiles grandes)
1 taza de agua
4 tazas de harina de avena
4 tazas de copos de avena
1 cucharada de canela

½ taza de almendras picadas
¾ de taza de semillas de girasol
1 taza de aceite de coco
1 taza de jarabe de arce
1 cucharadita de extracto de vainilla
½ cucharadita de sal marina

1. Precalienta el horno a 180 °C.

2. Pon los dátiles en remojo en agua 3 horas como mínimo (o la noche anterior) para ablandarlos. (Cuando se llenan de agua los dátiles parecen doblar su volumen.)

3. Escurre los dátiles.

4. Tritura los dátiles en un robot de cocina hasta obtener una mezcla homogénea.

5. En un cuenco grande, mezcla la harina, los copos de avena, la canela, las almendras y las semillas de girasol.

6. En otro cuenco, mezcla el aceite de coco, el jarabe de arce, la vainilla y la sal marina.

7. Añade los ingredientes húmedos a la mezcla de harina y remueve bien.

8. Vierte la mitad de la mezcla en una fuente de horno de 30 × 29 centímetros engrasada.
9. Extiende el puré de dátiles sobre ella.
10. Cubre con la mitad restante de la mezcla de harina y presiona suavemente.
11. Reduce la temperatura del horno a 120 °C.
12. Hornea durante 30-35 minutos.

Modifica la receta: Sustituye los dátiles por 1 taza de albaricoques secos o higos.
Sustituye las semillas de girasol por nueces pecanas.

Granola de frutos secos sin cereales

Esta granola de frutos secos es el snack perfecto para consumirlo solo o sobre un yogur o leche no lácteos. A nosotras nos gusta espolvorearlo sobre el Budín de arándonos y chía (página 181).

Para 4-8 personas

1 y ½ taza de almendras crudas
1 taza de anacardos crudos
⅓ de taza de semillas de calabaza sin cáscara
¼ de taza de semillas de girasol

½ taza de copos de coco sin azúcar
⅓ de taza de aceite de coco
⅔ de taza de miel
1 cucharadita de extracto de vainilla

1. Precalienta el horno a 180 °C.
2. Mezcla las almendras, los anacardos, las semillas de calabaza, las semillas de girasol y los copos de coco en un cuenco mediano con un tenedor.
3. Pasa los frutos secos unas cuantas veces por el robot de cocina o la batidora para triturarlos en pequeños trozos.
4. Calienta el aceite de coco, la miel y la vainilla en una cacerola grande a fuego medio suave, deja que el aceite se derrita y remueve bien.
5. Incorpora la mezcla de frutos secos y remueve hasta que todos los ingredientes queden bien amalgamados.
6. Extiende la mezcla en una fuente de horno.
7. Reduce la temperatura del horno a 120 °C.
8. Hornea durante 25-30 minutos.
9. Deja que la granola se enfríe y a continuación pártela en trozos comestibles.

Modifica la receta: Añade ¼ de taza de linaza a la mezcla de frutos secos. Añade ½ taza de pasas o tu fruta seca preferida (picada) después de hornear la granola.

Añade una cucharadita de canela cuando agregues la vainilla.

Galletas de avellanas

Estas galletas son excelentes para mojarlas en un dip y se deshacen en la boca. Las avellanas aportan un alto contenido en vitaminas del grupo B, que son muy saludables para el sistema nervioso. Las vitaminas B también mejoran la memoria y son necesarias para producir neurotransmisores como serotonina.

Para 20 galletas

⅓ de taza de aceite de coco, ablandado
¾ de taza de azúcar de coco
1 cucharada de harina de linaza molida
1 cucharadita de extracto de vainilla

2 y ½ tazas de harina de avena
⅓ de taza de avellanas picadas
1 cucharadita de levadura en polvo sin aluminio
1 cucharadita de canela
¼ de taza de leche de almendras

1. Precalienta el horno a 180 °C.
2. En un cuenco grande, mezcla el aceite de coco, el azúcar de coco, la harina de linaza y la vainilla hasta que los ingredientes queden bien amalgamados.
3. Añade la harina de avena, las avellanas picadas, la levadura en polvo y la canela, y remueve.
4. Incorpora la leche de almendras y mezcla bien.
5. Forma unas bolas con unas cucharadas colmadas de masa y disponlas sobre una fuente de horno engrasada.
6. Reduce la temperatura del horno a 120 °C.
7. Hornea las galletas 15-20 minutos. Deja enfriar durante 5 minutos y sirve.

Tarta de queso de limón y coco

¡Esta tarta de queso cruda rebosa sabor de limón! La base de coco complementa el toque ácido de esta tarta a la perfección.

Para 6-8 personas

La base:

⅔ de taza de almendras

⅔ de taza de pecanas

2 cucharadas de coco rallado sin
   azúcar

⅓ de taza de pasas ecológicas

½ cucharadita de canela

1 cucharada de agua

El relleno:

⅔ de taza de zumo de limón fresco

2 tazas de anacardos

½ taza de jarabe de arce

2 cucharaditas de harina de linaza

1 cucharadita de extracto de vainilla

½ taza de aceite de coco (en estado
   líquido)

Para adornar:

½ taza de coco rallado

1. Tritura las almendras en un robot de cocina hasta que adquieran la consistencia de la harina.
2. Añade las pecanas, el coco, las pasas y la canela, y tritura hasta reducir las pecanas a un puré.
3. Incorpora el agua y tritura la mezcla para amalgamarla.
4. Extiende la mezcla sobre el fondo de una fuente de 25 centímetros.
5. Coloca la base en el frigorífico mientras preparas el relleno.
6. Pasa el zumo de limón, los anacardos, el jarabe de arce, la harina de linaza y la vainilla por la batidora hasta obtener una mezcla homogénea.
7. Añade el aceite de coco y mezcla bien.
8. Vierte el relleno sobre la base refrigerada.
9. Coloca la tarta en el frigorífico 2 horas como mínimo.
10. Espolvorea por encima el coco rallado y sirve.

Bocaditos de limón

Estas bolitas tienen el sabor ácido del limón y son un snack perfecto que puedes preparar de antemano y mantener en el frigorífico. Consérvalas en él hasta que vayas a consumirlas porque se ponen blandas si las dejas demasiado tiempo a temperatura ambiente. Puedes consumirlas solas o rebozadas en coco rallado o almendras molidas, ¡o ambas cosas!

Para 24 bolitas

1 y ½ taza de harina de almendras
⅓ de taza de harina de coco crudo
   ecológico
½ taza de sal marina
2 cucharadas de jarabe de arce
½ taza de zumo de limón fresco

2 cucharaditas de extracto de
   vainilla
½ taza de aceite de coco (en estado
   líquido)
¼ de taza de coco rallado

1. Tritura la harina de almendras junto con la harina de coco, la sal, el jarabe de arce, el zumo de limón, la vainilla y el aceite de coco en el robot de cocina hasta que los ingredientes queden bien amalgamados.
2. Forma las bolitas de una en una con una cucharada de la mezcla.
3. Reboza las bolitas en el coco rallado.
4. Colócalas en el frigorífico 30 minutos o más tiempo antes de consumirlas.

Modifica la receta: Sustituye el coco rallado (para rebozar las bolitas) por ½ taza de almendras molidas o ½ taza de algarroba en polvo.
   Sustituye el jarabe de arce por cuatro dátiles deshuesados.

Barritas de limón y frambuesa

Estas barritas no contienen huevos, mantequilla, azúcar blanco, harina blanca ni maicena, los típicos ingredientes que incorpora una barrita de limón tradicional. Los copos de agar-agar constituyen una gelatina vegana que da una maravillosa consistencia cremosa a estas sabrosas barritas.

Para 12 barritas

La masa:

2 tazas de copos de avena
½ taza de aceite de coco
2 cucharadas de jarabe de arce

1 cucharadas de agua
1 cucharada de zumo de limón
1 cucharada de extracto de vainilla

El relleno:

1 y ⅓ de taza de agua
3 cucharadas de copos de agar-agar
⅔ de taza de zumo de limón fresco

1 taza de frambuesas
3 cucharadas de arrurruz en polvo
¾ de taza de azúcar de coco

1. Precalienta el horno a 180 °C.
2. Engrasa ligeramente una fuente de horno de 25 × 35 centímetros.
3. Pasa los copos de avena por el robot de cocina durante unos 10 segundos.
4. Añade el aceite de coco y sigue triturando otros 10 segundos.
5. Incorpora el jarabe de arce, el agua, el zumo de limón y la vainilla, y tritura hasta que la mezcla empiece a pegarse. (Detente de vez en cuando y empuja los lados hacia abajo con una espátula para facilitar que los ingredientes se mezclan bien.)
6. Coloca la mezcla en la fuente de horno preparada, presionando hacia abajo y levantando los bordes aproximadamente 1 centímetro. (Humedécete un poco las manos para hacerlo.)
7. Reduce la temperatura del horno a 120 °C.
8. Hornea durante unos 15 minutos.
9. Retira la masa del horno y deja que se enfríe.
10. Deja que el agua y los copos de agar-agar reposen 15 minutos en un cazo mediano.
11. En un cuenco pequeño mezcla el arrurruz con el zumo de limón para que se disuelva.
12. Cuando el agua y el agar-agar hayan reposado 15 minutos, lleva la mezcla a ebullición.
13. Baja el fuego y cuece a fuego lento 10 minutos o hasta que el agar-agar se haya disuelto por completo.
14. Añade la mezcla de arrurruz y zumo de limón, las frambuesas y el azúcar de coco.
15. Deja cocer a fuego lento otros 3 minutos, removiendo constantemente.
16. Vierte el relleno sobre la masa preparada y deja reposar unos 20 minutos o hasta que se haya enfriado.
17. Coloca en el frigorífico 2 horas como mínimo.
18. Corta en cuadrados y sirve.

Bolitas de frutos secos y jarabe de arce

Estas saludables y crujientes bolitas de frutos secos y jarabe de arce no horneadas constituyen un fantástico snack para llevar contigo.

Para 14 bolitas

1 taza de granola de coco y anacardo (página 181)
¾ de taza de pecanas picadas
2 cucharadas de linaza
1 cucharadita de canela

⅛ de cucharadita de nuez moscada
2 cucharadas de compota de manzana
2 cucharadas de jarabe de arce

1. Pasa la granola, las pecanas, la linaza, la canela y la nuez moscada por el robot de cocina hasta obtener una mezcla homogénea.
2. Añade la compota de manzana y el jarabe de arce y tritura hasta que la mezcla adquiera una consistencia «pastosa» y esté lo bastante húmeda para formas las bolitas.
3. Forma las bolitas de una en una con una cucharada de masa. (Si las bolitas están un poco pegajosas, humedécete los dedos para que te resulte más fácil formarlas.)
4. Coloca en el frigorífico, en un recipiente tapado, y sirve las bolitas frías.

Modifica la receta: Sustituye la granola de coco y anacardos por 1 taza de copos de avena.
   Sustituye le jarabe de arce por 6 dátiles deshuesados.
   Añade ¼ de taza de coco sin azúcar y 1 cucharada de aceite de coco.

Galletas de mantequilla de cacahuete

Estas sabrosas galletas, que se derriten en la boca, son unos de nuestros snacks favoritos.

Para unas 20 galletas

2 tazas de harina de avena
1 cucharadita de levadura en polvo
1 taza de jarabe de arce puro
1 taza de mantequilla de cacahuete sin sal

⅓ de taza de aceite de girasol
1 cucharada de extracto de vainilla

1. Precalienta el horno a 180 °C.
2. Engrasa ligeramente una fuente para hornear galletas y reserva.
3. Combina la harina y la levadura en polvo en un cuenco mediano, y reserva.
4. Vierte el jarabe de arce, la mantequilla de cacahuete, el aceite y la

vainilla en un cuenco grande y remueve hasta que los ingredientes queden bien amalgamados.

5. Añade la mezcla de harina a la mezcla de mantequilla de cacahuete y remueve para formar una masa espesa y melosa.
6. Dispón unas cucharadas circulares de masa, con unos 5 centímetros de separación, en la fuente de horno preparada.
7. Reduce la temperatura del horno a 120 °C.
8. Hornea durante 15-20 minutos.
9. Deja enfriar las galletas sobre la fuente de horno antes de trasladarlas a una bandeja de rejilla para que terminen de enfriarse. Sirve caliente o a temperatura ambiente.

Modifica la receta: Sustituye la mantequilla de cacahuete por mantequilla de semillas de girasol.

Tarta de ensueño de mantequilla de cacahuete

Esta tarta cruda, que no necesita hornearse, es fácil de preparar y está muy rica. Tiene una textura espesa y melosa semejante a caramelo. Justo antes de servir, nos gusta añadir por encima unas rodajas de plátano fresco. Esta tarta resulta más fácil de cortar si utilizas un cuchillo para mantequilla y luego extraes cada porción suavemente con una cuchara o una espátula.

Para 6-8 personas

La base:

1 taza de almendras
7 dátiles deshuesadas y picados
2 cucharadas de zumo de limón

1 cucharada de agua
½ cucharadita de canela molida

El relleno:

1 y ½ taza de anacardos crudos
   (puestos en remojo al menos
   1 hora y escurridos)
¾ de taza de mantequilla de
   cacahuete ecológica sin azúcar y
   sin sal

⅓ de taza de jarabe de arce puro
⅓ de taza de aceite de coco
¼ de taza de agua
1 cucharadita de extracto
   de vainilla

1. Pasa las almendras, los dátiles picados, el zumo de limón, el agua y la

canela por el robot de cocina durante un par de minutos, hasta que la mezcla adquiera una consistencia espesa y se pegue.

2. Dispón unas cucharadas de la mezcla en una fuente para hornear tartas de 25 centímetros y presiona para extenderlas uniformemente.

3. Coloca la base en el frigorífico mientras preparas el relleno.

4. Tritura los anacardos junto con la mantequilla de cacahuete, el jarabe de arce, el aceite de coco, el agua y el extracto de vainilla en el robot de cocina hasta obtener una mezcla emulsionada.

5. Vierte la mezcla sobre la base de la tarta.

6. Coloca en el frigorífico 1 hora como mínimo.

Dulce de mantequilla de cacahuete

Este dulce es muy fácil de preparar. No olvides meter los plátanos en el congelador varias horas antes. Nosotras utilizamos algarroba en polvo para darle un falso sabor a chocolate, pero puedes sustituirlo por cacao en polvo sin azúcar. Prueba la versión del dulce de pistachos y almendras en Modifica la receta, para darle un rico y novedoso toque a este dulce.

Para 2 personas

3 plátanos congelados
4 dátiles picados
4 cucharadas de mantequilla de cacahuete
3 cucharadas de algarroba en polvo sin azúcar

1 cucharadita de extracto de vainilla
¼ de taza de leche de coco
½ taza de cacahuetes picados
2 fresas para adornar

1. Pasa los plátanos, los dátiles, la mantequilla de cacahuete, la algarroba en polvo, la vainilla y la leche de coco por la batidora o el robot de cocina unos 30 segundos, hasta que la mezcla adquiera la consistencia de un helado.

2. Sirve unas cucharadas del dulce en dos copas, adorna con cacahuetes tostados y coloca una fresa sobre cada copa.

Modifica la receta: Sustituye la mantequilla de cacahuete por mantequilla de almendras y los cacahuetes por pistachos, y añade 1 cucharadita de extracto de almendras.

Tarta crujiente de peras e higos

Las peras asadas con higos tienen un delicado y dulce sabor que se derrite en la boca. Este plato puede comerse caliente o frío.

Para 12 personas

Aderezo:

1 y ½ taza de copos de avena tradicionales
⅔ de taza de pecanas picadas
¾ de taza de azúcar de coco

⅓ de taza de harina de avena
1 cucharada de canela molida
5 cucharadas de aceite de coco

Relleno:

1 kg y ½ de peras Anjou maduras (o semimaduras) pero firmes, peladas y cortadas en trozos de 1 y ½ cm (aproximadamente 7 peras)

½ taza de jarabe de arce
½ taza de higos troceados
2 cucharadas de harina de avena
2 cucharadas de zumo de limón
1 cucharadita de jengibre

1. Precalienta el horno a 180 °C.
2. En un cuenco grande combina la avena, las pecanas, el azúcar de coco, ⅓ de taza de harina y la canela.
3. Añade el aceite y remueve hasta que la mezcla se humedezca de forma uniforme.
4. Echa las peras en un cuenco grande junto con el jarabe de arce, los higos, 2 cucharadas de harina, el zumo de limón y el jengibre, y mezcla bien.
5. Traslada la mezcla de peras a una fuente de horno de 25 × 35 centímetros.
6. Espolvorea el aderezo sobre las peras.
7. Reduce la temperatura del horno a 120 °C.
8. Hornea durante unos 50 minutos o hasta que las peras estén tiernas. Deja reposar 10 minutos y sirve.

Modifica la receta: Sustituye las pecanas por avellanas o semillas de girasol.
Sustituye el azúcar de coco por azúcar de dátiles.

Tarta de queso con pistachos

Esta tarta de queso cruda tiene una suave y delicada textura y un sabor dulce. El sabor de los guisantes no se nota, pero dan a esta tarta un color «verde pistacho» al tiempo que incrementan el valor nutricional. Utiliza un cuchillo para mantequilla para cortar esta tarta con facilidad y extrae luego cada porción con una cuchara o una espátula.

Para 6-8 personas

La base:

⅔ de taza de almendras
⅔ de taza de pistachos
⅓ de taza de pasas ecológicas

½ cucharadita de canela
1 cucharada de agua

El relleno:

¾ de taza de agua
1 taza de anacardos
½ taza de pistachos
½ taza de guisantes congelados
⅓ de taza de jarabe de arce

2 cucharaditas de harina de linaza
1 cucharadita de extracto de vainilla
½ taza de aceite de coco (en estado líquido)

Para adornar:

½ taza de pistachos picados

1. Tritura las almendras en el robot de cocina hasta que adquieran una consistencia harinosa.
2. Añade ⅔ de taza de pistachos, las pasas y la canela, y pulsa el botón del robot de cocina hasta que las pasas queden completamente trituradas.
3. Añade el agua y sigue batiendo para que se mezcle bien con el resto de los ingredientes.
4. Dispón la mezcla sobre el fondo de una fuente de horno de 25 centímetros.
5. Coloca la base en el frigorífico mientras preparas el relleno.
6. Tritura los anacardos junto con ¾ de taza de agua, ½ taza de pistachos, los guisantes congelados, el jarabe de arce, la harina de linaza y la vainilla en la batidora hasta obtener una mezcla homogénea.

7. Añade el aceite de coco y bate para amalgamar bien todos los ingredientes.
8. Vierte el relleno sobre la base fría.
9. Espolvorea los pistachos por encima de la tarta.
10. Coloca en el frigorífico 2 horas como mínimo y sirve fría.

Modifica la receta: Añade 1 taza de plátanos machacados para elaborar una tarta de plátanos.

Añade ½ taza de algarroba en polvo al relleno para darle un sabor a chocolate.

Añade 2 cucharadas de coco rallado a la base.

Sabrosas galletas de calabaza

El jarabe de arce combinado con la calabaza da a estas galletas un sabroso y dulce sabor. Nosotras conservamos estas galletas en el congelador (durante 4 meses) por si nos apetece tomar un rápido snack. ¡Congeladas están muy ricas!

Para unas 40 galletas

2 y ½ taza de harina de avena
1 cucharadita de levadura en polvo
1 cucharada de canela molida
1 cucharadita de nuez moscada molida
⅔ de taza de copos de avena

1 taza de pasas
1 taza de puré de calabaza
1 taza de jarabe de arce puro
½ taza de aceite de cártamo o de girasol
1 cucharadita de extracto de vainilla

1. Precalienta el horno a 180 °C.
2. Engrasa ligeramente una fuente para hornear galletas y reserva.
3. Combina la harina, la levadura en polvo, la canela y la nuez moscada en un cuenco mediano.
4. Añade los copos de avena y las pasas, y remueve para distribuirlos bien.
5. Vierte el puré de calabaza, el jarabe de arce, el aceite y la vainilla en un cuenco grande, remueve para distribuir bien los ingredientes y reserva.
6. Añade la mezcla de harina a la mezcla de calabaza y remueve bien.
7. Dispón unas cucharadas colmadas de la masa en la fuente de horno preparada, con 2 centímetros de separación como mínimo, ya que al hornearlas las galletas se ensancharán.

8. Reduce la temperatura del horno a 120 °C.
9. Hornea durante 15-20 minutos.
10. Deja que las galletas de enfríen un poco antes de sacarlas de la fuente de horno.

Magdalenas de calabaza y pecanas

¡Esta es una de nuestras magdalenas favoritas! Es húmeda, tiene un sabor delicadamente dulce y está riquísima recién salida del horno.

Para 10 magdalenas

⅔ de taza de harina de arroz integral
1 taza de harina de avena
2 cucharaditas de canela
½ cucharadita de nuez moscada
1 y ½ taza de puré de calabaza

½ taza de aceite de cártamo
¾ de taza de miel
1 y ½ cucharada de levadura en polvo
½ taza de pasas
½ taza de pecanas picadas

1. Precalienta el horno a 180 °C.
2. En un cuenco mediano, mezcla la harina de arroz integral y la harina de avena con un tenedor.
3. Añade la canela y la nuez moscada, y remueve.
4. Añade el puré de calabaza y remueve.
5. Sin dejar de remover, incorpora el aceite, la miel, la levadura en polvo y las pasas.
6. Engrasa un molde para magdalenas.
7. Coloca aproximadamente 2 cucharadas colmadas de mezcla de calabaza en cada hueco del molde.
8. Espolvorea unas pecanas picadas sobre cada magdalena.
9. Reduce la temperatura del horno a 120 °C.
10. Hornea aproximadamente 30-40 minutos.

Modifica la receta: Omite las pecanas.

Dulce tropical

Las piñas, los mangos y los dátiles crean un suculento relleno para este sugestivo postre. La piña aporta un alto contenido en vitamina B_1 y manganeso, que promueve las funciones cognitivas. Este es un postre inolvidable que gusta a todo el mundo.

Para 6-8 personas

Relleno:

5 tazas de piña fresca cortada en cubitos

½ taza de mango fresco cortado en dados

1 taza de dátiles picados

1 cucharada de extracto de vainilla

½ cucharadita de canela

¼ de cucharadita de nuez moscada

¼ de cucharadita de cardamomo o pimienta de Jamaica

Aderezo:

1 y ½ taza de copos de avena

½ taza de harina de avena

½ taza de zumo de piña sin azúcar

¼ de taza de azúcar de coco (opcional)

⅔ de taza de nueces de Macadamia picadas

1 cucharadita de canela molida

¼ de cucharadita de cardamomo o pimienta de Jamaica

½ taza de aceite de nueces de macadamia o aceite de coco

1. Precalienta el horno a 180 °C.
2. Engrasa una fuente de horno cuadrada de 20 centímetros.
3. En una cazuela mediana mezcla la piña, el mango, los dátiles, la vainilla, la canela, la nuez moscada y el cardamomo, y remueve.
4. Lleva a ebullición a fuego medio.
5. Cuece unos 10 minutos, o hasta que los dátiles empiezan a deshacerse, sin dejar de remover.
6. En un cuenco grande combina los copos de avena, la harina, el zumo, el azúcar de coco, las nueces de Macadamia, la canela y el cardamomo.
7. Añade el aceite y remueve.
8. Vierte el relleno en la fuente de horno preparada.
9. Extiende el aderezo sobre el relleno.
10. Hornea unos 40 minutos. Sirve caliente o frío.

Modifica la receta: Sustituye la piña por arándanos y el mango por frambuesas. Sustituye, asimismo, el zumo de piña por zumo de arándanos sin azúcar.

Añade ½ taza de semillas de girasol al aderezo.

Sustituye todo el aderezo por 3 tazas de Crujiente de Granola de frutos secos sin cereales (página 189).

Kebabs de frutas tropicales

Un snack perfecto para una fiesta. A los niños les encanta comer estos coloridos kebabs, ¡y también disfrutan preparándolos!

Para 20 personas

3 mangos
1 sandía
1 melón cantalupo
1 piña

2 papayas
40 uvas verdes sin semillas
Palillos o pinchos

1. Corta el mango, la sandía, el cantalupo y las papayas en trocos de 2 y ½ centímetros.
2. Ensarta con unos palillos los trozos de fruta, alternándolos, y sirve.

Modifica la receta: Añade unas pasas.

Apéndice A

Tablas de conversión de medidas

Conversión de líquidos

Medida = mililitros
¼ de cucharadita = 1,25 mililitros
½ cucharadita = 2,50 mililitros
¾ de cucharadita = 3,75 mililitros
1 cucharadita = 5,00 mililitros
1 y ¼ de cucharadita = 6,25 mililitros
1 y ½ cucharadita = 7,50 mililitros
1 y ¾ de cucharadita = 8,75 mililitros
2 cucharaditas = 10,0 mililitros
1 cucharada = 15,0 mililitros
2 cucharadas = 30,0 mililitros

Medida = litros

¼ de taza = 0,06 litros
½ taza = 0,12 litros
¾ de taza = 0,18 litros
1 taza = 0,24 litros
1 y ¼ de taza = 0,30 litros
1 y ½ taza = 0,36 litros

2 tazas = 0,48 litros
2 y ½ tazas = 0,60 litros
3 tazas = 0,72 litros
3 y ½ tazas = 0,84 litros
4 tazas = 0,96 litros
4 y ½ tazas = 1,08 litros
5 tazas = 1,20 litros
5 y ½ tazas = 1,32 litros

Fórmulas de conversión

Líquido

Lo que sabes:	Multiplica por:	Para determinar:
Cucharaditas	5,0	mililitros
Cucharadas	5,0	mililitros
Tazas	0,24	litros

Apéndice B

Plan de comidas de 7 días

Este plan de comidas de 7 días que proponemos incorpora algunas de nuestras recetas favoritas que estimulan la función cerebral.

Lunes

Desayuno:
Batido de mango y aguacate
Dulce tropical

Almuerzo:
Ensalada de hojas baby de
espinacas y peras con nueces
Sopa de patata y coliflor

Cena:
Dip de judías negras, chile
jalapeño y cilantro
Cazuela de polenta y aguacate

Postre:
Bolitas de frutos secos y jarabe
de arce

Martes

Desayuno:

Smoothie de té verde y azul
Magdalenas de arándanos

Almuerzo

Ensalada de arroz con
anacardos y jengibre
Sopa de calabaza Butternut

Cena:

Hummus de habas y menta
Pasta primavera

Postre:

Brownies de dulce de algarroba

Miércoles

Desayuno:

Sorprendente amanecer en
Maui
Galletas de coco y nueces de
macadamia

Almuerzo:

Ensalada de chía con limón y
cilantro
Crema de champiñones

Cena:

Gustoso guacamole
Apetitosos tacos de judías

Postre:

Tarta de queso con pistachos

Jueves

Desayuno:

Smoothie de pera y jengibre
Cuadrados de dátiles de doble
energía

Almuerzo:

Ensalada de kale y anacardos
aderezada con tahini al limón
Crema de zanahoria

Cena:

Judías con champiñones,
avellanas y salvia
Espirales con piñones, jengibre
y menta

Postre:

Galletas clásicas de avena y
pasas

Viernes

Desayuno:

Smoothie de la diosa verde
Barritas de limón y frambuesa

Almuerzo:

Judías carillas y tomates con
vinagreta de limón
Gumbo de verduras cajún

Postre:

Crujientes bocaditos de arroz

Sábado

Desayuno:

Explosiva mezcla de frutos del
bosque
Granola de frutos secos sin
cereales

Almuerzo:

Ensalada César con piñones
Crema de tomate y albahaca

Cena:

Dip de berenjena y aceitunas
La pizza de la abuela
(incluyendo masa perfecta para
pizza y salsa de tomate fácil y
rápida)

Postre:

Sabrosas galletas de calabaza

Domingo

Desayuno:

Batido de plátano y mantequilla
de cacahuete
Galletas de mantequilla de
cacahuete

Almuerzo:

Ensalada de arroz y aceitunas
negras cajún
Gazpacho de aguacate

Cena:

Pesto de albahaca fresca
Hamburguesas de quinoa y
nueces

Postre:

Galletas de plátano y chía